국민대학교 문화교차연구소
성리학의 감정과학 연구총서 3

장재 서명의 감정과학

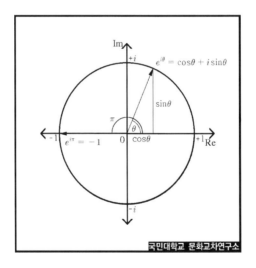

국민대학교 문화교차연구소
성리학의 감정과학 연구총서 3

장재 서명의 감정과학

발 행 | 2024년 07월 03일
저 자 | 성동권
펴낸이 | 한건희
펴낸곳 | 주식회사 부크크
출판사등록 | 2014.07.15.(제2014-16호)
주 소 | 서울특별시 금천구 가산디지털1로 119 SK트윈타워 A동 305호
전 화 | 1670-8316
이메일 | info@bookk.co.kr

ISBN | 979-11-410-9239-9

www.bookk.co.kr
ⓒ 성동권 2024
본 책은 저작자의 지적 재산으로서 무단 전재와 복제를 금합니다.

국민대학교 문화교차연구소
성리학의 감정과학 연구총서 3

장재 서명의 감정과학

성동권

국민대학교 문화교차연구소
성리학의 감정과학 연구총서 3

「 장재 서명의 감정과학 」

목 차

서문

서문 1: 성리학의 감정과학 출판 소개

국민대학교 문화교차연구소의 '연구총서 시리즈'《성리학의 감정과학》은 중국 남송(南宋) 시대의 철학자 주자(朱子, 1130~1200)에 의해서 학문론으로 정립된 '성리학'(性理學)을 '감정과학'(Science of Feelings)으로 연구합니다. '감정과학'은 감정의 현상을 선악(善惡)으로 해석하고, 이후 '악'(惡)으로 지목된 감정을 조절하거나 제어함으로써 이상적인 '선'(善)의 경지로 도달하게 하는 '목적론적 윤리학'이 아닙니다. 무한한 방식으로 무한한 감정의 현상에 나아가 그 각각에 고유한 본성의 필연성을 인식함으로써 모든 감정이 영원의 필연성 안에서 순수지선으로 존재하고 있다는 사실을 확인하는 학문론이 '감정과학'입니다.

'성리학'의 본질을 '감정과학'으로 규명하는 것은 현대적 '재해석'이 아닙니다. 주자의 성리학을 충실히 계승함으로써 그 본질을 명확하게 밝힌 조선 시대 성리학자 퇴계 이황(退溪 李滉, 1501~1570)의 작품인 『성학십도』(聖學十圖)에 근거하면, 성리학은 감정의 본성을 이해함으로써 감정의 순수지선을 이해하는 '감정과학'입니다. 퇴계 선생님은 『성학십도』(聖學十圖)의 「제6도 심통성정도(心統性情圖)」의 '중도'(中圖: 두 번째 그림)와 '하도'(下圖: 세 번째 그림)에서 성리학(性理學)의 핵심을 다음과 같이 요약했습니다.

其中圖者。就氣稟中指出本然之性不雜乎氣稟而爲言。子思所謂天命之性。孟子所謂性善之性。程子所謂卽理之性。張子所謂天地之性。是也。其言性旣如此。故其發而爲情。亦皆指其善者而言。如子思所謂中節之情。孟子所謂四端之情。程子所謂何得以不善名之之情。朱子所謂從性中流出。元無不善之情。是也。其下圖者。以理與氣合而言之。孔子所謂相近之性。程子所謂性卽氣氣卽性之性。張子所謂氣質之性。朱子所謂雖在氣中。氣自氣性自性。不相夾雜之性。是也。其言性旣如此。故其發而爲情。亦以理氣之相須或相害處言。如四端之情。理發而氣隨之。自純善無惡。必理發未遂。而掩於氣。然後流爲不善。七者之情。氣發而理乘之。亦無有不善。若氣發不中。而滅其理。則放而爲惡也。夫如是。故程夫子之言曰。論性不論氣不備。論氣不論性不明。二之則不是。然則孟子，子思所以只指理言者。非不備也。以其幷氣而言。則無以見性之本善故爾。此中圖之意也。

위에 제시된 원문의 뜻을 번역하면 다음과 같습니다. (원문에 대한 직역이 아니라 원문이 품고 있는 뜻을 번역하면 아래와 같습니다.)

　　우리가 우리 자신의 몸에 나아가 몸 그 자체의 본성인 '성리'(性理: 子思所謂天命之性。孟子所謂性善之性。程子所謂卽理之性。張子所謂天地之性。)를 명백하게 인식하면, 이로부터 우리는 몸이 느끼는 감정 그 자체의 본성인 '정리'(情理: 子思所謂中節之情。孟子所謂四端之情。程子所謂何得以不善名之之情。朱子所謂從性中流出。元無不善之情。)를 영원의 필연성으로 인식하게 됩니다.

　　이 인식 덕분에 우리는 감정의 무한 양태인 정기(情氣)를 감각적 현상에 의존하여 그것의 선악(善惡)과 시비(是非)를 판단하는 인식의 오류에 빠지지 않게 됩니다. 감정의 무한 양태인 정기(情氣)는 본래부터 자기 안에 정리(情理)를 품고 있다는 사실이 성리(性理)에 의해서 진리의 필연성으로 분명합니다. "如四端之情。理發而氣隨之。自純善無惡。"의 뜻입니다.

　　그러므로 우리가 이 사실을 이해하고 믿는 한에서 우리는 정기(情氣)에 나아가 정리(情理)를 명명백백하게 인식해야 합니다. 그 결과 우리는 무한한 방식으로 무한하게 존재하는 정기(情氣)가 단 하나의 예외 없이 본래부터 최고의 완전성 안에서 순수지선으로 존재한다는 사실을 명석하고 판명하게 이해하게 됩니다. "然則孟子, 子思所以只指理言者。非不備也。以其幷氣而言。則無以見性之本善故爾。此中圖之意也。"의 뜻입니다.

합리기(合理氣)의 성(性: 몸)에 나아가 '성리'(性理: 몸 그 자체의 본성)를 명확히 인식하는 것이 매우 중요합니다. 이 인식에 기초하여 몸이 느끼는 감정으로 살아간다는 사실을 간단한 공리(公理)로 요약한 '성발위정'(性發爲情)에 근거하여 분석하면, 정(情)도 당연히 합리기(合理氣)로 존재한다는 사실이 연역됩니다. 감정에도 리(理)가 존재한다는 사실이 분명하므로 합리기(合理氣)의 정(情)에 나아가 정리(情理)를 명확하게 인식할 수 있는 기초가 확립됩니다. 이 기초 위에서 무한한 감정을 배울 때 우리는 모든 감정이 본래부터 순수지선으로 존재하고 있다는 사실을 이해할 수 있습니다. 이 이해로부터 우리는 감정을 느끼며 살아가는 모든 것이 본래부터 순수지선의 축복 속에 존재하고 있다는 사실을 확인할 수 있습니다.

우리는 매순간 감정으로 존재하며 감정으로 살아갑니다. 이 자명한 사실에 근거하여 우리는 자신의 행복을 위해서 반드시 감정 그 자체의 진실을 묻고 배워야 합니다. 감정을 이해하는 것이 곧 우리 자신을 이해하는 것입니다. 더 나아가 세상 모든 사람과 자연의 모든 것을 이해하는 방법이 그들 각각에 고유한 감정을 이해하는 것입니다. 퇴계가 주자의 성리학 덕분에 깨닫게 된 진리입니다. 퇴계 선생님에 의하면 '성리학'은 필연적으로 '감정과학'입니다. 이 사실을 증명하기 위하여 선생님은 「제6도 심통성정도」에서 선진(先秦) 시대

의 ‘공맹’(孔孟)으로부터 남송(南宋) 시대의 주자(朱子)에 이르는 ‘유교
-성리학’의 역사를 감정과학의 역사로 다시 정리합니다.

　　퇴계 선생님의 주자 성리학에 대한 이해는 다음과 같이 요약됩니
다.

　　‘성리’(性理)를 향한 배움(學)은 필연적으로 정리(情理)를 향한 배움(學)으
로 전개됩니다.

　　이러한 진리를 가르쳐주기 위하여 퇴계 선생님은 「제6도 심통성
정도」에서 ‘중도’와 ‘하도’를 그렸으며 그에 대한 설명을 간단명료하
게 제시했습니다. ‘성리학’(性理學)의 본질을 ‘정리학’(情理學)으로 규
명하는 퇴계 선생님의 ‘성학’(聖學)을 국민대학교 문화교차연구소는
‘감정과학’으로 정의합니다. 국민대학교 ‘문화교차학과’와 이 학문을
전문적으로 탐구하는 기관인 ‘문화교차연구소’는 퇴계 선생님의 성학
(聖學)에 기초합니다.

　　그러나 매우 안타깝게도 퇴계 선생님의 『성학십도』 이후 지금에
이르기까지 선생님이 제시한 성학(聖學)의 본뜻이 무엇인지 분명하게
연구되지 않았을 뿐만 아니라 성리학(性理學)의 본질이 감정과학으로
서 ‘정리학’(情理學)이라는 사실 또한 분명하게 정리되지 않았습니다.
이에 국민대학교 문화교차연구소는 성리학을 감정과학으로 증명하는
총서 시리즈 《성리학의 감정과학》을 세상에 내놓습니다. 문화교차연
구소의 새로운 총서 시리즈 《성리학의 감정과학》은 이 목적을 위해
구체적으로 『성리대전』에 수록된 작품들을 선별하여 감정과학으로
증명합니다.

『성리대전』은 중국의 송명 시대의 성리학(性理學)을 집대성한 책입니다. '성리'에 관련된 모든 저술들을 총망라한 것이 『성리대전』이므로 성리학의 본질을 '정리학'(情理學) 또는 '감정과학'(Science of Feelings)으로 규명하는 방법은 이 책에 수록된 저서들을 '감정과학의 논리'로 분석하는 것입니다. 이에 국민대학교 문화교차연구소는 성리학의 기초를 확립한 중국의 북송 시대 철학자 '주돈이'(周敦頤, 1017~1073)의 작품인 『통서』(通書)에 대한 감정과학의 분석에 이어서 세 번째 총서 시리즈로서 '장재'(張載, 1020~1077)의 작품인 『서명』(西銘)에 대한 감정과학의 분석을 세상에 내 놓습니다. '감정과학의 논리'는 이어지는 「서문 2: 감정과학의 '성리학 장르' 분석」에서 논의합니다.

국민대학교 문화교차연구소장
성동권 올림.

서문 2: 감정과학의 '성리학 장르' 분석

성리학(性理學)

성리학(性理學)은 말 그대로 '성리'(性理)를 배우는 '학문'(學)입니다. 여기에서 다음과 같은 질문이 성립합니다.

> '성리'(性理)는 무엇입니까?
> '성'(性)은 무엇입니까? '리'(理)는 무엇입니까?

이 질문들에 대한 '감정과학'의 대답은 매우 간단합니다.

> 성리학(性理學)은 '몸의 생김'(性)에 고유한 '본성의 필연성'(理)을 배운다(學). 몸의 영원한 진실(性理)를 배우는 학문이 성리학이다.

우리는 '몸'으로 살아갑니다. 지금 우리 자신의 몸이 존재하지 않는다면, 그 어떤 것으로도 우리 자신의 존재를 확인할 수 없습니다. 이것은 우리 자신만의 진실이 아니라 자연 전체의 진실입니다. 자연의 모든 것은 자신의 몸으로 살아가며, 그렇게 존재하는 모든 몸은 자신과 무한히 다른 몸과 함께 무한한 방식으로 무한하게 교차하며 살아갑니다. 그렇기 때문에 무엇보다도 '몸'이 진실로 소중합니다. 몸을 절대로 함부로 해서는 안 됩니다. 성리학은 이 사실을 '경신'(敬身)으로 요약합니다. 자기 스스로 자기 몸을 존경하고 고마워하는 것이 학문의 시작이자 끝입니다.

학문의 핵심은 지금 우리 자신의 몸입니다. 그런데 몸이 생겨나지 않으면 몸으로 살아간다는 것은 '절대적'으로 성립할 수 없습니다. 몸이 생겨나야 몸으로 살아갈 수 있습니다. 이로부터 '생김'이 '살아가기'에 앞선다는 사실은 자명합니다. 이 자명한 진리에 근거하여 우리는 몸에 대한 이해를 '생김'과 '놀이'로 나누어 이해할 수 있습니다. '놀이'는 생겨난 몸으로 살아가는 우리 자신의 이야기입니다. 이 이야기를 '경험' 또는 '후험'(後驗)이라 합니다. 한편, 우리 몸의 '생김'은 우리 자신의 몸으로 경험하는 '놀이'에 앞선 것이므로 이와 관련된 이야기를 '선험'(先驗)이라 합니다. '경험(驗)에 앞서서(先)'를 뜻합니다. 따라서 우리는 다음과 같이 개념을 정의할 수 있습니다.

① 몸-생김: 선험(先驗)
② 몸-놀이: 후험(後驗)

선험(先驗) X 후험(後驗)

생겨난 몸으로 살아가는 우리 자신의 이야기를 '몸-놀이' 또는 '후험'(後驗)으로 정의할 때, 그것의 진실은 무엇일까요? 이 물음에 대한 답은 당연히 몸으로 살아가는 우리의 삶에서 찾아야 합니다. 우리의 삶을 떠나서 답을 구할 수 있다는 생각은 터무니없는 것입니다. 왜냐하면 질문의 요지는 '후험'으로서 지금 우리 자신의 몸-놀이가 품고 있는 실상이 무엇인지 묻는 것이기 때문입니다. 이 사실에 근거하여 우리 스스로 생각해 보면, 몸으로 살아간다는 것은 실질적으로 몸의 무한 변화를 경험하는 것입니다. 우리의 몸은 단 한 순간도 쉬지 않고 자기 스스로 무한히 변화하며, 동시에 무한히 변화하는 다른 몸과의 교차를 통해서도 무한하게 변화합니다.

다음으로 몸의 무한 변화에 나아가 그 모든 변화의 '순간'에 대해서 생각해 보면, 그것은 사실상 '감정'입니다. 예를 들어서 우리는 어느 순간 '배고픔'을 느끼기도 하며, 또 다른 어느 순간 '피곤함'을 느끼기도 합니다. 우리는 몸의 순간 변화를 '배고픔' 또는 '피곤함'이라는 감정으로 확인합니다. 친구와의 만남도 마찬가지입니다. 길을 걷다가 갑자기 친구를 만나면 우리 몸은 '기쁨'이라는 감정으로 순간 변화하며, 우리의 마음은 그 감정을 자각합니다. 이처럼 몸으로 살아가는 우리의 일상인 몸-놀이에 대해서 우리 스스로 생각해 보면, 몸-놀이의 실상은 몸의 무한 변화인 '감정'이라는 것을 알 수 있습니다. 따라서 몸-놀이의 후험(後驗)을 다음과 같이 보다 구체적으로 정의할 수 있습니다.

② 몸-놀이: 후험(後驗) = 감정(情)

위의 정의에 입각하여 몸-생김의 '선험'(先驗)에 대해서 생각해 봅시다. 몸-놀이에 앞서는 몸-생김의 진실은 무엇일까요? 이 질문에 대한 답을 우리 자신의 몸 밖에서 구할 수 있다고 생각한다면, 이 또한 터무니없는 착각입니다. 왜냐하면 지금 우리의 질문은 우리 자신의 몸-생김에 대한 것이기 때문입니다. 이 대목에서 우리 스스로 생각해야 합니다. 우리 자신의 몸은 어떻게 생겨난 것일까요? 이 물음에 대한 답은 어린이도 할 수 있습니다. 오히려 어린이가 더 쉽게 답할 수 있는 문제입니다. 무엇일까요? 정답은 '엄마아빠의 사랑'(정확히 말해서 'sex')입니다. 엄마아빠의 '사랑'이 아니면 '지금' 우리의 몸은 절대적으로 생겨날 수 없습니다.

영원의 필연성으로 지금 우리의 몸은 '엄마아빠의 사랑'으로 생겨납니다. 여기에는 그 어떤 우연성이나 가능성이 없습니다. 절대적인 영원의 필연성 안에서 엄마아빠의 사랑이 지금 우리의 몸을 생겨나게 했습니다. 그렇기 때문에 우리가 몸-생김의 실상을 지금 우리 자신의 몸으로 이해하는 한에서 몸-생김의 진실은 '엄마아빠의 사랑'입니다. 우리의 몸은 현상적으로 얼마든지 엄마의 몸 또는 아빠의 몸으로 존재하지 않을 수 있습니다. 세상에 부모가 되지 못한 사람은 여러 이유로 많습니다. 그러나 우리의 몸은 절대적으로 엄마아빠의 사랑으로 생겨납니다. 이 사랑(sex), 즉 '부모의 사랑' 없이 생겨난 자식의 몸은 절대적으로 존재하지 않습니다.

이상의 논의에 기초하여 몸-생김의 선험(先驗)을 다음과 같이 보다 구체적으로 정의할 수 있습니다. 앞에서 정의한 몸-놀이의 후험(後驗)과 함께 보겠습니다.

① 몸-생김: 선험(先驗) = 엄마아빠의 사랑(sex)
② 몸-놀이: 후험(後驗) = 감정(情)

몸-생김의 선험(先驗)에 고유한 진실로서 '엄마아빠의 사랑(sex)'을 성리학(性理學)은 '성'(性)으로 정의합니다. 왜냐하면 이 사랑이 지금 내 몸의 존재를 결정하는 단 하나의 영원한 필연성이기 때문입니다. 이 정의를 두고 현대 성리학을 연구하는 학자들이 수많은 반론을 제기할 수 있지만, 이 문제는 쉽게 해결됩니다. 다음에 제시하는 성리학(性理學)의 기본 공리(公理)로 논의를 시작하겠습니다.

성발위정(性發爲情)

정(情)은 성(性)과 절대적으로 떨어질 수 없습니다. 그리고 이 둘 사이에 있는 '발위'(發爲)에 근거하면 당연히 성(性)은 정(情)에 앞섭니다. 정(情)에 대한 정의는 앞에서 충분히 증명하였듯이 몸-놀이의 '후험'(後驗)입니다. 이로부터 성(性)에 대한 정의는 '성발위정'(性發爲情)에 근거하여 몸-놀이의 '후험'(後驗)에 앞서는 '선험'(先驗)으로서 '몸-생김'이라는 사실이 명백하게 연역됩니다. 몸이 생겨나지 않으면 몸으로 하는 놀이는 상상할 수 없기 때문에 이 연역은 자명한 진리입니다. 그런데 몸-생김의 진실은 이미 논한 바와 같이 '엄마아빠의 사랑(sex)'입니다. 따라서 성(性)을 엄마아빠의 사랑으로 이해하는 것은 기하학적 질서의 필연성에 의해서 진리의 필연성 그 자체입니다. 따라서 '성정'(性情)에 대한 다음과 같은 정의가 성립됩니다.

① 몸-생김: 선험(先驗) = 엄마아빠의 사랑(sex) = **성(性)**
② 몸-놀이: 후험(後驗) = **정(情)**

위의 정의를 다음과 같이 요약할 수 있습니다.

엄마아빠의 사랑(sex)에 의해서 생겨난 <u>나의 몸(性)</u>은 살아가면서 무한한 방식으로 변화하며, 그 무한 변화의 순간순간인 감정(情)의 무한으로 존재한다. 몸의 순간 변화를 우리가 감정으로 정의하는 한에서.

그런데 우리의 논의가 이 지점에 이르면, 뜻밖에 불같이 화를 내는 분들을 만나게 됩니다. 여기에는 크게 두 가지 곡절이 있습니다.

① 우리가 어린 시절 부모로부터 받은 정서적 또는 신체적 학대
: 부모로부터 학대를 당한 자식들은 엄마아빠의 사랑에 대해서 극도의 거부감을 느끼게 됩니다.

② 출생의 비밀
: 몸-생김의 본질로 존재하는 엄마아빠의 사랑을 둘러싼 이야기에는 수많은 소문과 사건이 있습니다. 가장 대표적으로 '금수저' '흙수저' 같은 '수저 계급론', 또는 차마 말할 수 없는 강간이나 고아 등과 같은 비극 한 가운데 엄마아빠의 이야기가 있습니다.

크게 위와 같은 두 가지 슬픔 속에 있는 자식들은 일반적으로 엄마아빠의 사랑에 대해서 극도의 거부감을 느끼게 됩니다. 이 주제는 매우 민감하고 그만큼 다루기 어려운 주제이지만, 그럼에도 불구하고 우리는 반드시 이 주제를 배워서 이해해야 합니다. 왜냐하면 몸-생김은 우리 자신의 몸을 이해하는 기초이며 동시에 행복의 기초이기 때문입니다. 이미 논의한 바와 같이 몸-놀이에 앞서는 것이 몸-생김입니다. 여기에는 엄마아빠의 사랑이 본질로 존재합니다. 이 사랑에 대한 우리의 이해가 최고의 완전성 내지는 순수지선의 아름다움이 아니라면 그 즉시 우리 몸의 생김은 불완전한 것이 됩니다. 이미 시작이 불완전이라면 몸-놀이 또한 불완전한 것입니다.

이 지점에 이르면, 몸으로 생겨나서 몸으로 살아가는 지금 우리 자신의 행복을 위한 가장 확실한 방법은 몸-생김의 진실로 존재하는 '엄마아빠의 사랑'(sex)에 대해서 타당한 인식을 형성하는 것이라는 결론이 나옵니다. 엄밀히 말해서 이 인식은 엄마아빠를 위한 것이 아니라 지금 '나' 자신의 행복을 위한 것입니다. 다시 강조하지만, 몸으로 생겨나 몸으로 살아가는 지금 '나' 자신의 행복을 위해서 엄마아빠의 사랑(sex)을 이해하는 것입니다. 몸으로 생겨나 몸으로 살아가는 지금 '나' 자신의 행복을 떠나서 엄마아빠의 사랑에 대해서 논의하지 않습니다. 이점이 매우 중요합니다.

선험(先驗): 성(性)

우리가 이 논점의 중요성을 이해하면, 앞에서 다룬 두 가지 문제는 뜻밖에 쉽게 해결됩니다. 자식들이 부모로부터 학대를 받았다고 할 때, 이것은 엄격히 말해서 '몸-놀이'의 사건입니다. 몸으로 살아가는 자식이 부모와의 '관계'에서 겪은 자신의 경험입니다. 그런데 '엄마아빠의 사랑(sex)'에 관하여 그 자체만을 두고 보면 이것은 몸-생김을 뜻합니다. '선험'(先驗)의 성(性)입니다. 몸-놀이의 '후험'(後驗)이 아닙니다. 그렇기 때문에 자식이 부모로부터 받은 상처로 인해 자기 몸의 생김에 있는 엄마아빠의 사랑을 부정하는 것은 사실상 선험(先驗)을 후험(後驗)으로 잘못 이해하는 것입니다. 이는 '뒤'(後驗)에 있는 것을 '앞'(先驗)에 두는 모순입니다.

몸의 생김과 놀이에 대한 정의를 다시 봅시다.

① 몸-생김: 선험(先驗) = 엄마아빠의 사랑(sex) = 성(性)
② 몸-놀이: 후험(後驗) = 정(情)

지금 우리가 논의하는 것은 몸-생김의 진실로 존재하는 엄마아빠의 사랑(sex)입니다. 이 사랑이 아니라면 그 어떤 자식의 몸도 생겨날 수 없습니다. 그렇기 때문에 부모로부터 받은 상처나 학대를 경험한 자식이 그것을 근거로 이 사랑을 부정한다면, 이것은 사실상 자기 스스로 자기 존재를 부정하는 것입니다. 이는 몸-놀이의 비극이 몸-생김의 비극으로 옮겨 가는 보다 더 큰 비극입니다. 이때 어떤 학문이 우리 스스로 몸-생김에 대한 타당한 인식을 확립함으로써 우리 몸의 생김과 놀이를 최고의 완전성과 행복으로 이해할 수 있다고 주장한다면, 우리가 이 학문에 대해서 경청할 필요가 있지 않을까요? 이 학문이 지금 우리가 공부하는 **'성리학의 감정과학'**입니다.

다음으로 출생의 비밀에 대해서 생각해 봅시다. 우리 스스로 차분히 생각해 보면, 이 문제도 앞에서 다룬 오류 안에 있습니다. 지금 우리가 논의하는 것은 몸-생김의 '선험'(先驗)으로써 엄마아빠의 사랑(sex)입니다. 가장 중요한 것은 지금 '나'의 몸-생김에 관하여 '선험'으로 존재하는 '엄마아빠의 사랑'입니다. 이 논점을 분명히 하고 위에서 제시한 정의를 보다 단순하게 하면 다음과 같습니다.

① 몸-생김 = **선험(先驗)** = 성(性)
② 몸-놀이 = **후험(後驗)** = 정(情)

지금 '나'의 몸-생김에 대한 이야기로서 '출생의 비밀'은 선험(先驗)의 성(性)이 맞습니다. 엄마아빠의 이야기이기 때문에 그렇습니다. 그러나 이 이야기는 엄밀히 말해서 나의 '경험'에 앞서는 또 다른 '경험'입니다. 나의 몸을 생기게 한 '엄마아빠'와 관련된 경험입니다. 예를 들어서 부유한 남자와 가난한 여자가 서로 만나서 사랑한 것이 지금 내 몸의 생김에 있는 이야기일 수 있고, 극단적으로 어떤 남자로부터 강간을 당한 여자가 지금 내 몸의 생김에 있는 이야기일 수 있습니다. 결국 '출생이 비밀' 등 지금 '나'의 몸과 관련된 생김의 이야기는 선험(先驗)의 성(性)에 있는 것 같지만, 그것의 실상은 후험(後驗/ 경험)에서 나오는 이야기입니다.

그런데 우리가 논의하는 것은 후험(後驗)에 앞서는 또 다른 후험(後驗)이 아닙니다. 후험(後驗)에 앞서는 선험(先驗)입니다. 우리의 생각에 여기에 이르면, 선험(先驗)에 대한 이해와 관련하여 두 가지 논점이 생성됩니다.

① 선험(先驗)
: 후험(後驗)에 앞서는 <u>후험(後驗)으로서 선험</u>

② 선험(先驗)
: 후험(後驗)에 앞서는 <u>선험(先驗) 그 자체로서 선험</u>

위 두 가지 선험(先驗) 중에서 어느 것이 진정한 '선험'일까요? 선험(先驗)은 말 그대로 '경험에 앞선'을 뜻합니다. 이때 선험을 챙긴다면서 어떤 경험에 앞선 또 다른 어떤 경험으로 '선험'을 이해하면,

그것은 어떤 후험에 대하여 단순히 그보다 공간과 시간 상 앞서는 또 다른 '후험'(後驗)입니다. 어떤 공간과 시간 속에서 사건 'A'가 발생했고 그로 인해 또 다른 어떤 공간과 시간 속에서 사건 'B'가 발생했을 때, 사건 'A'는 사건 'B'에게 선험이 분명합니다. 그러나 사건 'A'는 여전히 경험 속에 있습니다. 이러한 맥락에서 '출생의 비밀'은 공간과 시간 상 선험(先驗)일 뿐, 그것은 본질은 또 다른 경험 또는 후험(後驗)일 뿐입니다.

선험(先驗)과 후험(後驗)을 이와 같은 방식으로 이해하면, 결국 이 둘은 공간과 시간 안에서 이해됩니다. 어떤 사건 A와 B가 발생했을 때, 이 둘 사이에 어느 것이 공간과 시간 상 앞에 있고 뒤에 있는지를 확인하면, 그것으로 '선험'과 '후험'이 결정됩니다. 그런데 우리가 이러한 방식으로 '선험'을 이해하면, 우리는 오직 출생의 비밀만으로 몸-생김을 이해할 수밖에 없습니다. 여기에서 뜻하지 않은 비극이 발생합니다. 어떤 사람은 평생을 숨기고 싶은 출생의 비밀로 살아가지만, 반대로 어떤 사람은 자신의 출생을 둘러싼 좋은 조건과 환경으로 살아갑니다. 몸-생김의 비극이 몸-놀이의 비극으로 옮겨가는 보다 더 큰 비극이 발생합니다.

이상, 몸-생김의 선험(先驗)으로 존재하는 '엄마아빠의 사랑(sex)'을 이해함에 있어서 발생하는 대표적인 오류 두 가지를 살펴보았습니다. 감정과학이 이 이해를 '오류'로 명명하는 이유는 무엇보다도 선험(先驗)에 대한 이해를 후험(後驗)으로 시도하기 때문입니다. 이는 논리적으로 모순입니다. 선험은 선험 그 자체로 이해해야 합니다. 우리는 얼마든지 공간과 시간의 한계 안에서 감각적으로 지각되는 어떤 사건에 대한 경험을 선험(先驗)으로 이해할 수 있지만, 이는 '후험'일 뿐입니다. 선험(先驗)을 선험 그 자체로 이해하는 것이 선험에 대한 참다운 이해입니다. 이 이해를 형성하는 능력이 우리에게 본래부터 있기 때문에 선험을 '후험(後驗)에 앞서는 <u>후험(後驗)으로서 선험</u>'으로 이해하는 것은 오류입니다.

분석(分析) X 종합(綜合)

지금 우리의 논의에서 본질적으로 중요한 것은 몸-생김의 선험(先驗)을 엄마아빠의 사랑(sex)으로 정의할 때, 이 사랑에 대한 참다운 인식이 무엇인지 탐구하는 것입니다. 엄마아빠의 사랑(sex)를 공간과 시간의 한계 안에서 감각적으로 지각할 수 있는 사건으로 접근하면, 이것은 실질적으로 자식으로 존재하는 우리의 후험(後驗)에 앞선 엄마아빠의 후험(後驗)에 불과합니다. 이 경우 우리의 선험(先驗)은 사실상 엄마아빠의 후험(後驗)입니다. 결국 앞에서 언급한 바와 같이 선험과 후험을 공간과 시간의 선후로 구분하면, 선험과 후험은 실질적으로 후험으로 수렴됩니다. 이에 따라서 후험에 앞선 선험은 갑자기 후험의 존립 기초로서 '공간과 시간'으로 드러납니다. 공간과 시간이 없으면 '엄마아빠'와 '나'의 후험이 없습니다.

이 지점에서 우리는 전혀 예상하지 못한 결론에 도달합니다. 몸-생김의 선험(先驗)으로서 엄마아빠의 사랑(sex)을 이해하려는 우리의 노력은 수포로 돌아갑니다. 몸-놀이에 앞서는 몸-생김으로서 엄마아빠의 사랑이 지금 내 몸-놀이의 후험(後驗)에 앞서는 후험(後驗)으로 간주된 이상, 이로부터 몸-생김의 선험(先驗)은 후험(後驗)의 전제 조건으로서 '공간과 시간'이라는 추상적 개념으로 제시됩니다. 왜냐하면 선험도 결국 구체적인 공간과 시간으로 감각되는 후험에 불과하기 때문입니다. 이로부터 선험은 공간과 시간이라는 추상적 개념으로 제시됩니다.

그런데 우리가 진실로 알고 싶은 것은 '엄마아빠의 사랑'입니다. 이 주제와 관련하여 뜻밖에 우리에게는 공간과 시간이라는 추상적 개념이 주어집니다. 이처럼 선험(先驗)을 후험(後驗)의 존립기초로서 추상적인 공간과 시간으로 제시하는 것이 칸트(Kant)의 '선험종합'입니다. 이에 근거하여 감정과학은 '종합'과 '선험종합'을 다음과 같이 정의합니다.

종합(綜合)

: 감각적으로 지각되는 모든 몸-놀이, 즉 후험(後驗)의 존립기초로서 '공간과 시간'.

선험(先驗)종합(綜合)

: 몸-생김의 선험(先驗)으로 존재하는 엄마아빠의 사랑(sex)을 공간과 시간의 한계 안에서 감각적으로 지각되는 엄마아빠의 몸-놀이로 이해한다.

: 엄밀히 말해서 '선험종합'은 몸-놀이의 조건으로서 '공간과 시간'이다.

그러나 몸-생김의 '선험'(先驗)인 엄마아빠의 생명과 사랑을 '종합'(綜合)'으로 이해하는 것은 다음과 같은 두 가지 이유로 모순입니다.

① 자식으로 존재하는 우리 자신의 몸에 나아가 '생김'을 생각해 보면, '공간과 시간'이 아니라 '엄마아빠'가 존재합니다. 정확히 말하자면, '엄마의 몸'과 '아빠의 몸'이 자식으로 존재하는 지금 우리 몸의 생김에 고유한 본성의 필연성입니다. 그런데 선험종합은 '공간과 시간'을 몸-생김의 선험으로 이해하고 있습니다. 따라서 이 이해는 몸-생김 그 자체의 본성이 아닙니다.

② 몸-생김은 지금 우리 자신의 몸을 향합니다. 지금 우리 '자신의 몸'에 나아가 생김(선험)을 이해하고 있습니다. 그렇기 때문에 생김(선험)에 대한 이해를 지금 우리 자신의 몸 안에서 해야 합니다. 절대적으로 우리 자신의 몸-생김을 이해함에 있어서 우리의 생각을 지금 우리 자신의 몸 밖에 두면 안 됩니다. 지금 우리 자신의 몸 안에서 몸-생김에 대해서 생각하고, 그 생각 안에서 몸-생김에 대해서 이해해야 합니다. 그런데 선험종합은 지금 우리 몸 밖에 있는 엄마아빠의 몸과 이 두 분의 사랑(sex)을 공간과 시간의 한계 안에서 감각적으로 지각되는 현상으로 이해하고 있습니다. 이 이해는 몸-생김 그 자체의 본성이 아닙니다.

위와 같이 칸트의 선험종합으로 몸-생김을 이해하는 인식의 오류를 두 가지 측면에서 접근하고 이해하는데 성공하면, 우리는 선험을 이해하기 위한 방법으로서 종합(綜合)과는 완전히 차원이 다른 방법을 발견하게 됩니다. 우리는 철두철미 공간과 시간으로 살아가는 후험(後驗)의 몸-놀이로 살아갑니다. 이렇게 후험으로 살아가는 우리가 우리 자신의 몸에 나아가 선험(先驗)에 대해서 생각해 보면, 몸-생김의 선험에 대한 우리의 생각이 **자기 안에서 자기 스스로 자명하게** 형성하는 이해가 있습니다. 이 이해를 '분석'(分析)이라 합니다. 따라서 우리는 다음과 같은 정의를 정립할 수 있습니다.

분석(分析)

: 우리 스스로 생각하는 중에 우리 자신의 생각 안에서 자명한 이해를 영원의 필연성으로 형성함.

선험(先驗)분석(分析)

: 몸-생김의 선험(先驗)으로 존재하는 엄마아빠의 사랑(sex)을 공간과 시간의 한계 안에서 감각적으로 지각하고 그에 의존하여 생각하는 것이 아니라, 지금 우리 자신의 몸에 나아가 우리 스스로 생각하는 중에 우리 자신의 생각 안에서 영원의 필연성으로 엄마아빠의 사랑(sex)을 이해한다.

: 엄밀히 말해서 '선험분석'은 엄마아빠의 영원하고 무한한 생명과 사랑이다.

몸으로 생겨나서 몸으로 살아가고 있는 우리가 지금 우리 자신의 몸에 나아가 '생김'을 이해할 때, 그 방법을 종합(綜合)으로 하면 여기에는 항상 우연성이 개입합니다. '엄마아빠의 사랑(sex)'을 종합으로 이해하면, '나는 왜 이런 부모로부터 생겨났을까?' 또는 '다른 좋은 부모 밑에서 태어났으면 좋을 텐데.'라는 생각을 하게 됩니다. 극단적으로 나아가면 부모의 존재를 부정하려고 합니다. 앞에서 다루었듯이 여기에는 무수한 곡절들이 있습니다. 그러나 그런 곡절들을 가지고 몸-생김의 본질로 존재하는 부모를 부정하게 되면, 이는 실질적으로 자기 스스로 자기 존재의 근간을 부정하는 것입니다. 결국 몸으로 살아가는 자신의 삶은 절대적으로 행복할 수 없습니다.

그러나 우리에게는 '종합'(綜合)이 아닌 '분석'(分析)이 주어져 있습니다. 우리 모두는 각자 자신의 몸으로 살아갑니다. '종합' 안에 있습니다. 우리의 몸을 낳아주신 엄마아빠도 몸으로 살아갑니다. '종합' 안에 있습니다. 그렇기 때문에 몸-생김의 선험(先驗)을 종합으로 이해하는 것은 자연스러운 것입니다. 그러나 우리는 이것을 얼마든지 분석(分析)으로 이해할 수 있습니다. 지금 우리 자신의 몸에 나아가 우리 스스로 생각해 봅시다. 우리 자신의 몸을 향한 우리 자신의 마음은 자기 안에서 자기 스스로 영원의 필연성으로 존재하는 몸-생김의 진실로서 '엄마아빠의 사랑(sex)'을 명백하게 이해합니다.

우리는 몸으로 살아갑니다. 매순간 감정을 느낀다는 것이 이 사실에 대한 증명입니다. 이 사실에 근거하여 우리 자신의 몸에 나아가 몸의 생김을 우리 스스로 생각해 보면, '엄마의 몸과 아빠의 몸이 서로 사랑한 결과 지금의 내 몸이 영원의 필연성으로 존재하도록 결정되었다.'는 사실을 명백하게 이해합니다. 여기에는 우연성이 없습니다. 이 이해는 종합이 아닌 분석에 기초하기 때문에 영원의 필연성을 속성으로 갖습니다. 왜냐하면 우리는 이 이해 이외 다른 방식으로 우리 몸의 생김을 이해할 수 없기 때문입니다. 영원의 필연성을 확인하는 것이 '분석'입니다.

엄마의 몸은 생명이며, 아빠의 몸도 생명입니다. 이 생명이 영원의 필연성으로 존재한다면, 그것의 속성은 '영원무한'입니다. 여기에는 절대적으로 죽음이 없습니다. 이 사실에 근거하여 '엄마아빠의 사랑(sex)'도 이해할 수 있습니다. 지금 우리 몸의 생김으로 존재하는 엄마아빠의 사랑은 영원무한의 생명 안에 있기 때문에, 이 사실로부터 사랑의 속성은 생명과 마찬가지로 '영원무한'입니다. 이제 우리는 몸-생김의 진실로서 엄마아빠의 존재가 영원무한의 생명이라는 사실, 그리고 이로부터 엄마아빠의 사랑 또한 영원무한의 사랑이라는 사실을 확인했습니다. 몸-생김으로서 선험(先驗)은 엄마아빠의 사랑이며, 이것은 영원의 필연성 안에서 '영원무한의 생명과 사랑'입니다.

진리의 필연성 안에서 영원무한의 생명과 사랑이 존재하며, 이 존재로부터 지금 우리의 몸이 영원의 필연성으로 생겨났습니다. 이 이해가 몸-생김에 대한 타당한 인식입니다. 감정과학은 이처럼 몸-생김의 선험(先驗)을 분석(分析)으로 이해하는 '선험분석'을 '성리'(性理)라고 정의합니다. 리(理)는 필연(必然)을 뜻하기 때문에 우리가 몸-생김의 선험(先驗), 즉 '성'(性)을 분석(分析)에 기초하여 영원무한의 필연성인 리(理)로 이해하는 한에서 '리'와 '분석'은 본질적으로 동일한 개념입니다. 선험분석(先驗分析)이 성리(性理)인 이유입니다. 드디어 우리는 서문의 첫 번째 질문으로 돌아갈 수 있고, 문제의 답을 구할 수 있게 되었습니다.

이곳 서문에서 제기된 질문은 다음과 같습니다.

'성리'(性理)는 무엇입니까?
'성'(性)은 무엇입니까? '리'(理)는 무엇입니까?

이 질문에 대한 감정과학의 답을 다음과 같이 요약할 수 있습니다.

'성'(性)은 '몸-생김'을 설명하는 '선험'(先驗)입니다. '리'(理)는 '영원의 필연성'을 이해하는 '분석'(分析)입니다. 그렇기 때문에 성리(性理)는 몸-생김의 선험(性)을 영원의 필연성(理)으로 이해하는 것입니다. 이 이해를 추구하는 학문이 성리학(性理學)입니다. 따라서 '성리학'은 영원무한의 생명과 사랑이 존재한다는 명백한 사실 안에 지금 우리의 몸이 영원의 필연성으로 생겨나도록 결정되었다는 사실을 이해하는 학문입니다.

우리가 성리학을 연마함으로써 몸-생김의 진실로서 엄마아빠의 사랑을 영원무한의 생명과 사랑으로 이해하는 것이 왜 중요할까요? 무엇보다도 이 이해가 우리 몸의 생김에 대한 올바른 이해입니다. 그리고 이 이해가 분명할 때, 선험종합(先驗綜合) 속에 있는 엄마아빠의 사랑 이야기를 이해할 수 있습니다. 선험종합으로 존재하는 엄마아빠도 결국 '몸'으로 존재하기 때문에 엄마아빠의 몸에 고유한 몸-생김의 진실은 영원무한의 생명과 사랑을 본성의 필연성으로 갖습니다. 이 대목에서는 그 어떤 출생의 비밀이나 비극 같은 것은 없습니다. 모두가 단 하나의 필연성인 선험분석 안에서 선험종합을 배워서 이해하고, 그 결과 최상의 행복을 누리게 됩니다.

우리가 선험분석을 분명하게 이해하지 못하면, 뜻밖에 부모에 대한 원망에 휩싸이게 됩니다. 그러나 영원무한의 생명과 사랑 안에서 공간과 시간 속에 있는 엄마아빠의 사랑(sex) 이야기를 이해할 때, 부모를 향한 원망은 사라집니다. 그렇기 때문에 부모(생김)를 향한 자식의 원망은 엄밀히 말해서 몸-생김의 비극이 아니라 인식의 비극입니다. 이 비극이 우리 자신을 비극으로 몰아갑니다. 출생을 비밀로 간직할 수밖에 없는 비극, 더 나아가 엄마아빠의 존재를 지우려는 비극이 발생합니다. 몸-생김에 대한 올바른 인식이 매우 중요한 이유가 여기에 있습니다. 이를 위한 유일한 방법은 '분석'입니다. 자기 안에서 자기 스스로 이해하는 영원무한의 필연성이 분석이며 리(理)입니다. 이것으로 몸-생김을 이해해야 합니다.

자기 몸-생김에 대한 분석이 분명하지 않으면, 엄마아빠의 사랑을 우연성으로 바라보며, 급기야 '좋음'과 '나쁨'이 섞인 것으로 착각하게 됩니다. 그러나 몸-생김의 선험을 분석으로 이해하면, 영원의 필연성 안에서 몸-생김의 종합은 순수지선으로 이해됩니다. 감각적 현상으로 지각된 엄마아빠의 사랑이 품고 있는 수많은 곡절들은 분석에 의해서 생명과 사랑 안에서 묻고 배워서 이해하게 됩니다. 감각적으로 지각되는 수많은 엄마아빠의 사랑 이야기를 '성리'(性理)와 구분하기 위하여 감정과학은 '성기'(性氣)로 정의합니다. 따라서 우리는 선험종합을 성기(性氣)로 정의할 수 있습니다.

'선험분석(先驗分析): 성리(性理)' X '선험종합(綜合): 성기(性氣)'

영원의 필연성으로 생명과 사랑이 존재합니다. 이 존재가 우리 몸의 생김으로 존재하는 선험(先驗) 또는 성(性)의 진실입니다. 감정과학은 이 진실을 선험분석의 성리(性理)로 정의합니다. 이 진실은 지금 몸으로 살아가고 있는 우리 자신이 자기의 몸에 나아가 생김의 진실인 엄마아빠의 사랑(sex)에 대해서 생각한 결과 자명하게 확인한 진리의 필연성입니다. 이것을 이해하는 방법이 분석(分析) 또는 리(理)입니다. 그렇기 때문에 학문의 기초는 무엇보다도 '성리학'(性理學)입니다. 핵심은 지금 우리 자신의 몸에 나아가 몸-생김에 존재하는 엄마아빠를 감각적 현상이 아닌 그 자체의 본성, 즉 영원의 필연성으로 이해하는 것입니다.

이 이해(性理)가 분명할 때, 몸-생김에 존재하는 엄마아빠의 모든 이야기들(性氣)을 참답게 이해할 수 있습니다. 자식으로 존재하는 우리가 엄마아빠의 잘못을 뉘우치며 용서할 수 있게 되며, 이로부터 우리는 엄마아빠를 원망하거나 저주하기 보다는 뜻밖에 생명과 사랑으로 이해할 수 있게 됩니다. 다른 한편으로 엄마아빠의 생명과 사랑에 대한 참다운 인식을 결여한 자식이 자신의 잘못을 뉘우칠 수도 있습니다. 결국 자기 몸에 고유한 생김의 진실인 성리(性理)가 분명할 때, 자식으로 존재하는 우리는 더 이상 감각적 현상으로 몸-생김을 이해하지 않습니다. 오히려 감각적 현상으로 지각된 몸-생김을 올바르게 배워서 올바르게 이해합니다.

영원의 필연성으로 존재하는 성리(性理)의 진실을 이해함으로써 감각적 현상으로 지각되는 엄마아빠의 사랑 이야기(性氣)를 생명과 사랑 안에서 배우는 학문이 '성리학'(性理學)의 감정과학입니다. 이 학문은 감각적 현상으로 지각되는 엄마아빠의 사랑 이야기를 '성기'(性氣)라고 부릅니다. 따라서 다음과 같은 정의를 제시할 수 있습니다.

① 선험분석(先驗分析) = 성리(性理)
: 몸-생김의 본성인 엄마아빠의 사랑 이야기를 몸 자체의 본성으로 인식함으로써 영원무한의 생명과 사랑을 몸-생김의 선험 그 자체의 진리로 이해한다.

② 선험종합(先驗綜合) = 성기(性氣)

   : 몸-생김의 본성인 엄마아빠의 사랑 이야기를 몸 자체의 본성으로 인식하는 것이 아니다. 나의 후험에 앞서는 부모의 후험을 나의 선험으로 간주한다. 그 결과 엄마아빠의 사랑을 공간과 시간의 한계 안에서 감각적으로 지각되는 현상으로 이해한다.

위의 두 정의는 우리에게 선택의 문제가 아닙니다. 선험분석으로서 성리(性理)가 우리 몸-생김에 대한 타당한 인식입니다.

이 인식이 분명할 때, 선험종합으로서 성기(性氣)에 대한 타당한 인식이 확립됩니다. 자식으로 존재하는 우리는 성리(性理) 안에서 성기(性氣)를 묻고 배움으로써 그에 대한 타당한 인식을 형성할 수 있습니다. 이러한 맥락에서 보면, 성리학(性理學)은 추상적인 '관념 철학' 또는 현실을 떠난 '초월 철학'이 아닙니다. 지금 우리 자신의 몸에 나아가 생김(性)에 고유한 본성을 영원의 필연성(理)으로 인식함으로써 영원무한의 생명과 사랑을 이해하고, 이 이해에 기초하여 엄마아빠(性)의 사랑 이야기(氣)를 올바르게 배우는 학문입니다. 이 학문을 연마함으로써 우리는 자기 몸의 생김을 생명과 사랑으로 이해하며, 그와 함께 자신의 존재를 최고의 완전성으로 축복하게 됩니다.

정리학(情理學): 리발기수(理發氣隨)

우리는 몸으로 생겨나고 몸으로 살아갑니다. 이 사실로부터 우리 자신에 대한 타당한 이해는 몸에 대한 이해입니다. 몸의 진실은 '생김으로 놀이', 즉 '생겨난 대로 놀이한다.'입니다. 이 진실에 근거하여 몸에 대한 이해를 생김과 놀이로 나누어 할 수 있습니다. 이미 앞에서 정의한 바와 같이, 몸-생김을 선험(先驗)의 성(性)이라 합니다. 이것을 이해하는 방법은 분석의 '리'(理)와 종합의 '기'(氣)가 있지만, 올바른 방법은 리(理)입니다. 이 방법으로 선험의 성(性)을 이해할 때, 그때 비로소 우리는 선험의 기(氣)를 생명과 사랑 안에서 올바르게 이해할 수 있습니다.

선험의 성(性)을 리(理)로 인식함으로써 그것의 기(氣)를 이해할 수 있다는 논리적 필연성을 다음과 같이 요약할 수 있습니다.

[성(性)]리발(理發)-[성(性)]기수(氣隨)

몸-생김의 선험(先驗)을 우리가 성(性)으로 정의할 때, 그에 대한 인식을 분석의 리(理)와 종합의 기(氣)로 나눌 수 있습니다. 이때 인식의 순서는 반드시 '리발기수'(理發氣隨)입니다. 이러한 인식의 순서가 분명하지 않으면 성리(性理)에 대한 인식에 어둡게 됩니다. 오직 감각적 현상인 성기(性氣)만으로 성(性)을 이해하게 됩니다. 내 몸의 생김으로 존재하는 엄마아빠의 사랑(sex)에 고유한 본성의 필연성인 영원무한의 생명과 사랑인 성리(性理)를 이해하지 못하면, 엄마아빠의 사랑은 공간과 시간의 한계 안에서 감각적으로 지각되는 현상(氣)적 사건(性)으로 잘못 이해됩니다. 이것은 성리학(性理學)이 추구하는 인식이 아니며, 또한 그 자체로 성(性)에 대한 참다운 인식이 아닙니다.

이제 우리는 선험분석으로서 성리(性理)에 대한 인식이 분명할 때, 선험종합으로서 성기(性氣)에 대한 타당한 이해가 정립된다는 사실을 확인할 수 있습니다. 이 사실에 근거하여 성리학의 다음과 같은 명제를 다시 봅시다.

성발위정(性發爲情)

방금 전에 우리는 성(性)에 대한 인식을 성리(性理)와 성기(性氣)로 나눈 다음, 이 둘 사이의 인식의 논리적 순서를 '리발기수(理發氣隨)'로 확인했습니다. 그렇다면 당연히 몸-놀이의 후험(後驗)인 정(情)에 대해서도 분석의 리(理)와 종합의 기(氣)라는 서로 다른 두 가지 인식이 성립한다는 결론이 영원의 필연성으로 연역됩니다. 왜냐하면 성(性)에 대한 인식을 리(理)와 기(氣)로 나눌 수 있다면, 성발위정(性發爲情)에 근거하여 정(情)에 대한 인식에 있어서도 리(理)와 기(氣)로 나눌 수 있기 때문입니다. 이는 우리가 얼마든지 감정을 감각적 현상으로 지각하며 해석할 수 있지만, 정반대로 얼마든지 그 자체에 고유한 본성의 필연성으로 이해할 수 있다는 것을 뜻합니다.

성리학(性理學)의 논리에 입각하여 생각해 보면, 이 결론은 지극히 당연한 것입니다. 몸-생김의 영원한 필연성이 영원무한의 생명과 사랑으로 분명하다면, '생김의 몸으로 놀이한다.'는 성리학의 공리인 성발위정(性發爲情)으로부터 생김의 진실로서 영원무한의 생명과 사랑은 당연히 몸-놀이의 진실로 존재합니다. 이는 기하학적 질서의 필연성 안에 있습니다. 삼각형의 본성을 따라서 우리가 삼각형을 그리는 것과 같은 이치로, 몸-생김의 본성을 따라서 몸-놀이가 이루어지는 것은 지극히 당연한 진리의 필연성입니다. 따라서 성리(性理)에 대한 인식이 우리에게 분명하다면, 이것은 정리(情理)에 대한 인식으로 증명됩니다.

이러한 진리의 필연성을 다음과 같이 정리할 수 있습니다.

성리(性理)로부터 정리(情理)의 필연성

성리학(性理學)은 반드시 정리학(情理學)으로 전개됩니다. 학문의 시작은 몸-생김의 진실을 배우는 '성리학'이지만, 그 끝은 몸-놀이의 진실을 배우는 '정리학'입니다. 결국 몸에 대한 타당한 인식이 전부입니다. 우리가 우리 자신의 몸에 나아가 생김의 진실을 '분석'으로 이해하는 한에서 이 진실은 그 즉시 놀이의 본질로 존재한다는 것을 이해합니다. 영원무한의 생명과 사랑 안에서 생겨난 몸이기 때문에 이렇게 생겨난 몸은 영원무한의 생명과 사랑 안에서 놀이합니다. 공간과 시간 속에서 무한한 방식으로 무한한 몸의 변화로서 감정은 영원의 필연성 안에서 생명과 사랑을 본성의 필연성으로 갖습니다.

이 사실을 부정하며 존재하는 감정은 절대적으로 없기 때문에 매 순간 무한히 변화하는 감정을 생명과 사랑의 필연성 안에서 배워서 이해하는 것이 '정리학'(情理學)입니다. 따라서 정리학(情理學)의 논리 또한 성리학(性理學)의 논리와 동일합니다.

[정(情)]리발(理發)-[정(情)]기수(氣隨)

우리는 몸으로 살아갑니다. 이 말은 몸의 무한 변화로 살아간다는 것을 뜻합니다. 우리의 몸은 무한한 방식으로 무한히 변화합니다. 우리 스스로 가슴에 손을 올려보면, 이 사실은 지극히 자명합니다.

그런데 몸의 무한 변화는 '순간 변화'의 무한성으로 이루어져 있으며, 우리는 그 각각의 순간 변화에 대한 개념을 '감정'으로 확인합니다. 우리가 매순간 무한한 방식으로 무한하게 감정을 느끼는 이유가 바로 여기에 있습니다. 감정과학은 이것을 후험(後驗) 또는 '몸-놀이'라고 부릅니다. 감정은 절대적으로 신체적 사건이지, 엄밀히 말해서 마음의 사건의 아니라는 뜻입니다.

우리가 이 사실을 우리 자신의 몸과 감정에 근거하여 명확히 이해할 때, 감정의 무한 생성에 대한 참다운 이해가 무엇인지 감정과학에 근거하여 쉽게 이해할 수 있습니다. 우리는 감정의 무한 생성 및 변화를 공간과 시간의 한계 안에서 감각적으로 지각되는 현상(氣)이나 사건(氣)으로 바라볼 수 있습니다. 그러나 이와 정반대로 우리는 얼마든지 감정을 그 자체에 고유한 본성의 필연성으로 이해할 수 있습니다. 왜냐하면 몸-놀이는 자신에 앞서는 몸-생김에 고유한 본성을 자기 존재의 필연성으로 갖고 있으며, 우리가 몸-생김의 본성을 영원의 필연성 안에서 영원무한의 생명과 사랑으로 확인한 이상 이 진실은 몸-놀이의 본성으로 당연히 존재하기 때문입니다.

성리(性理)로부터 정리(情理)는 필연적입니다. 이 사실로부터 공간과 시간 속에서 무한한 방식으로 무한히 생겨나고 변화하는 감정의 무한성에 대한 타당한 인식이 무엇인지 분명합니다. 무한한 방식으로 무한한 감정은 자신의 생성 및 변화에 관하여 자기 본성의 필연성인 정리(情理)를 영원의 필연성으로 가지고 있습니다. 그렇기 때문에 감정의 무한 변화에 대한 참다운 인식은 매순간에 고유한 본성을 영원의 필연성으로 이해하는 것입니다. 이 이해로부터 모든 감정은 순수 지선으로 확인됩니다. 왜냐하면 우리가 어떤 감정에 고유한 본성을 영원의 필연성으로 확인한 이상, 그것의 존재는 절대성 그 자체이기 때문입니다.

다 좋은 세상

지금 우리 자신을 포함하여 자연 안에 존재하는 모든 몸은 성리(性理)를 따라서 존재하는 성기(性氣)에 의해서 생겨나도록 영원의 필연성으로 결정되어 있습니다. 기(氣)는 절대적으로 리(理)를 따라서 존재하며 활동합니다. 그렇기 때문에 성기(性氣)에 의해 성겨난 모든 몸은 궁극적으로 단 하나의 영원성 그 자체인 영원무한의 생명과 사랑인 성리(性理: 엄마아빠의 사랑)에 의해서 생겨났습니다. 순수지선이 아닌 다른 것으로 생겨난 몸은 절대적으로 없습니다. 몸은 '다 좋은 몸'으로 생겨납니다. 이 사실을 배우는 것이 '성리학'입니다.

이 사실로부터 순수지선이 아닌 다른 것으로 놀이하는 몸은 절대적으로 없습니다. 몸에 고유한 영원한 진실입니다. 몸은 무한한 방식으로 무한히 변화하며 그 각각에는 그에 고유한 곡절이 분명히 존재하지만, 그럼에도 불구하고 모든 감정은 자기 존재에 고유한 본성의 필연성으로서 영원무한의 생명과 사랑 안에 존재합니다. 이 사실, 즉 정리(情理) 안에서 정기(情氣)의 곡절을 이해하는 것이 감정에 대한 참다운 이해입니다. 그 결과 다 좋은 감정을 확인합니다. 이 사실을 배우는 것이 '성리학'의 '감정과학'입니다.

그러므로 순수지선으로 생겨난 몸이 순수지선의 감정으로 살아갑니다. 이 진실이 성리학의 감정과학이 이해하는 세상의 진실입니다.

지금 우리의 진실이며 동시에 천지만물에 고유한 진실입니다. 그렇기 때문에 '다 좋은 세상'은 학문의 목적이 절대 아닙니다. 다 좋은 세상은 몸의 생김과 놀이에 고유한 영원한 진실입니다. 따라서 다 좋은 세상은 만드는 것이 아니라 지금 우리 자신의 몸을 비롯해서 자연의 모든 몸에 대해서 타당한 인식을 확립하는 것입니다.

요약: 감정과학의 성리학 장르분석

'성리학'(性理學)의 감정과학은 '선험(性)-분석(理)'에 대한 명석판명의 이해를 확립하는 학문입니다. 지금 자신의 몸에 나아가 몸-생김에 고유한 본성의 필연성을 자기 스스로 자기 안에서 명백하게 이해하는 것입니다. 그 결과 영원의 필연성으로 존재하는 영원무한의 생명과 사랑을 이해하며, 이 존재로부터 지금 자신의 몸이 생겨났다는 사실을 진리의 필연성으로 이해하게 됩니다. 이 이해로부터 우리는 본래부터 최고의 행복 그 자체로 존재합니다.

이 이해가 분명할 때, 성리학은 '정리학'(情理學)으로 직결됩니다. 정리학은 '후험(情)-분석(理)'에 대한 명석판명의 이해를 확립하는 학문입니다. 지금 자신의 감정에 나아가 몸-놀이로서 감정의 생김에 고유한 본성의 필연성을 자기 스스로 자기 안에서 명백하게 이해하는 것입니다. 그 결과 영원의 필연성으로 존재하는 영원무한의 생명과 사랑을 이해하며, 이 존재로부터 지금 자신의 감정이 생겨났다는 사실을 진리의 필연성으로 이해하게 됩니다.

퇴계 이황은 『성학십도』의 제6도에서 '성리학의 감정과학'에 고유한 논리를 다음과 같이 분명하게 정리했습니다. 「서문 1」에서 이미 제시한 원문입니다. 이 원문을 분석하면 다음과 같습니다.

其中圖者, 就氣稟中, 指出本然之性, 不雜乎氣稟而爲言.

子思所謂天命之性,

孟子所謂性善之性,

程子所謂卽理之性,

張子所謂天地之性, 是也.

其言性, 旣如此故, 其發而爲情, 亦皆指其善者而言.

如子思所謂中節之情,

孟子所謂四端之情,

程子所謂何得以不善名之之情,

朱子所謂從性中流出元無不善之情, 是也.

然則, 孟子·子思, 所以只指理言者, 非不備也. 以其並氣而言, 則無以見性之本善故爾. 此中圖之意也.

'其中圖者, 就氣稟中, 指出本然之性, 不雜乎氣稟而爲言.'는 성리(性理)입니다. '其言性, 旣如此故, 其發而爲情, 亦皆指其善者而言.'은 정리(情理)입니다. 합리기(合理氣)의 성(性)에 나아가 본연지성(本然之性)을 이해한다는 것은 성(性) 그 자체의 본성을 이해하는 것입니다. 이 이

해가 '指理틀^{지 리 틀}'입니다. 이것이 바로 '선험(性)-분석(理)'입니다. 모든 몸은 순수지선으로 생겨났다는 것을 확인합니다. 그렇기 때문에 성(性)을 선험분석으로 인식한 이상, 정(情)에서도 선험분석으로 인식할 수 있다는 것이 '指其善^{지 기 선}'입니다. '性之本善^{성 지 본 선}'을 확인한 이상, 감정(情)에서도 그와 똑같은 방식으로 이해할 수 있다는 뜻입니다. 성(性)을 분석의 리(理)로 이해할 수 있다면, 당연히 감정(情)에 대해서도 분석의 리(理)로 이해할 수 있다는 것입니다. 그 결과 깨닫게 되는 것은 '다 좋은 세상'입니다.

이상의 논리가 우리가 퇴계의 『성학십도』에 근거하여 깨닫게 되는 '성리학의 감정과학'입니다. 사실상 지금까지 전개된 모든 논의들이 이 학문의 논리에 기초하고 있습니다. 그렇기 때문에 성리학(性理學)은 감정과학으로서 정리학(情理學)이며, 이것은 역으로도 성립합니다. 情理學이 性理學을 이해하는 기초이자 방법입니다. 이 사실이 분명할 때, 성리학을 감정과학으로 확인하는 방법은 감정과학의 논리에 근거하여 성리학을 이해하는 것입니다. 이 이해가 **'감정과학의 '성리학 장르' 분석'**입니다. 따라서 '성리학'을 감정과학으로 이해하기 위하여 성리학의 장르를 분석할 때, 이를 위한 감정과학의 논리를 다음과 같이 제시할 수 있습니다.

① 성리(性理)
: '선험분석'(性理)의 개념이 분명한가?

② 성리(性理)로부터 정리(情理)
: '후험분석'(情理)의 개념이 분명한가?

③ 성리(性理)에 근거하여 성기(性氣)

: '선험분석'(性理)으로 '선험종합'(性氣)을 이해하는가?

④ 정리(情理)에 근거하여 정리(情氣)

: '후험분석'(情理)으로 '후험종합'(情氣)을 이해하는가?

그러므로 국민대학교 문화교차연구소가 출판하는 『성리학의 감정 과학 연구 총서』는 『성리대전』을 구성하는 송명(宋明) 시대 성리학자 들의 성리(性理) 관련 논의가 과연 감정과학의 논리에 충실한지 여부 를 확인합니다. 이것으로 우리는 성리학을 감정과학으로 증명할 수 있게 됩니다. 이 증명이 지금 우리에게 중요한 이유는 성리학에 대 한 올바른 이해를 제시하기 때문입니다. 성리학은 몸에 대한 타당한 인식에 근거하여 감정에 대한 타당한 인식을 추구하는 학문입니다. 궁극적으로 우리는 성리학에 근거하여 우리 자신의 감정 및 세상 모 든 감정에 대해서 올바르게 배워서 올바르게 이해할 수 있습니다. 생명과 사랑의 축복을 누리는 방법이 여기에 있습니다.

서문 3: '참고문헌'에 관하여

연구총서 시리즈 《성리학의 감정과학》은 퇴계 선생님이 『성학십도』에서 제시한 감정과학의 논리에 기초합니다. 감정과학에 의하면 학문의 핵심을 네 가지 장르로 요약할 수 있습니다. 이와 관련된 자세한 설명은 『서문 2』에서 충분히 다루었으므로 여기에서는 네 가지 장르의 핵심만을 제시하겠습니다.

성리(性理: 선험분석)	정리(情理: 후험분석)
성기(性氣: 선험종합)	정기(情氣: 후험종합)

감정과학에 근거한 학문의 네 가지 장르를 확인하면, 감정과학의 논리를 쉽게 알 수 있습니다. 그것은 '리발기수'(理發氣隨)입니다. 성(性)에서도 오직 '리발기수'이며, 정(情)에서도 오직 '리발기수'입니다.

그런데 여기에서 우리가 절대 혼동하면 안 되는 것은 '리발기수'는 두 개로 존재하는 것이 아니라는 사실입니다. 선험분석의 성리(性理)가 후험분석의 정리(情理)로 존재하기 때문에 리(理)는 단 하나이며, 그렇기 때문에 리발기수는 단 하나의 리(理)가 성(性)과 정(情)을 일관합니다. 그리고 단 하나의 리(理)는 무한한 방식으로 무한하게 생겨나는 몸의 성기(性氣)와 무한히 생겨나는 몸의 변화로서 감정의 정기(情氣)에 존재합니다. 그렇기 때문에 단 하나의 리(理)는 동시에 무한한 기(氣)에 고유한 필연성으로 존재합니다. 단 하나의 리(理)가 동시에 무한한 리(理)로 존재합니다.

　이 주제는 기하학으로 쉽게 이해할 수 있습니다. 가장 간단하게 삼각형을 예로 들어 봅시다. 삼각형은 '세 개의 내각과 그 총합은 180도'를 영원의 필연성으로 갖습니다. 이 본성(理)을 따라서 무한한 방식으로 무한하게 삼각형이 생겨나고 동시에 우리는 이 본성(理)을 따라서 삼각형을 그립니다. 이때 삼각형은 '직각 삼각형'으로 생겨날 수도(그릴 수도) 있고, '이등변 삼각형'으로 생겨날 수도(그릴 수도) 있습니다. 삼각형의 무한 생김과 놀이를 두 개로 예를 들었습니다. 그런데 '직각 삼각형'은 그에 고유한 본성의 필연성이 있으며, '이등변 삼각형'도 그러합니다. 모든 삼각형은 본성의 필연성을 따라서 생겨나고 놀이한다는 사실에서 보면, 필연성은 영원성 그 자체로 단 하나입니다. 그러나 그것은 동시에 무한한 삼각형 각각에 고유한 본성의 필연성으로 무한히 존재합니다. 이것으로 리(理)를 쉽게 이해할 수 있습니다. 리(理)는 단 하나의 영원이면서 동시에 무한입니다.

　감정과학이 제시하는 네 가지 장르와 여기에 고유한 논리를 확인하고 나면, 『성리대전』의 많은 주제들을 감정과학으로 정리할 때 가장 중요한 것은 감정과학의 논리에 근거하여 그 각각의 장르를 분석하는 것입니다. 『성리대전』을 구성하는 각각의 주제들에 나아가 네 가지 장르를 확인할 수 있고 그에 기초하여 감정과학의 논리인 '리발기수'를 확인할 수 있다면, 그때 비로소 성리학은 감정과학으로 증명됩니다. 이러한 맥락에서 본 연구 총서의 연구방법은 철두철미『감정과학의 장르분석』입니다. 성리(性理)를 논하는 『성리대전』의 작품에 나아가 네 가지 장르를 확인하고, 그것이 과연 감정과학의 논리를 따르는지 여부를 확인하는 것이 연구 방법의 기초입니다.

이 기초가 분명하기 때문에 국민대학교 문화교차연구소의 연구총서 《성리학의 감정과학》은 오직 '장르분석'으로 『성리대전』을 탐구합니다. 현대 학자들의 기존의 연구 논문이나 연구 서적들은 전혀 고려하지 않습니다. 왜냐하면 그 어떤 연구도 성리학(性理學) 또는 『성리대전』을 연구함에 있어서 장르분석에 기초하지 않았기 때문입니다. 현대 학자들의 연구 성과를 무시하는 것이 결코 아닙니다. 오직 이 이유에 근거하여 성리학을 감정과학으로 밝히는 이번 연구는 그들의 논문이나 서적들을 고려하지 않습니다. 다만, 다음과 같은 책과 논문을 참고 문헌으로 제시합니다.

성리학의 감정과학 연구총서
1. 『주돈이 태극도설의 감정과학』
2. 『주돈이 통서의 감정과학』

유교문화 감정과학 연구총서
1. 『유교문화의 정초 공자의 감정과학』
2. 『유교문화의 학문 대학의 감정과학』
3. 『유교문화의 미학 중용의 감정과학』

스피노자 윤리학 연구총서
1. 『감정으로 존재하는 신』
2. 『신의 존재를 증명하는 감정』
3. 『욕망의 이성』
4. 『감정의 예속과 자유』
5. 『신을 향한 지적인 사랑』

연구 논문

- 기하학적 질서에 따라 증명된 **思學**의 사단지정과 **不思不學**의 칠자
  지정, 한국문화94(kci), 서울대학교 규장각(2021).
- **성학십도 심통성정도의 중도의 장르분석**, 퇴계학논집25(kci), 퇴계
  학연구원(2019).
- 기하학적 질서에 따라 증명된 **퇴계 선생의 경(敬)**, 퇴계학논집
  19(kci), 퇴계학연구원(2016).

국민대학교 문화교차학과 학위 논문

- 박사학위

1. 2023, 유효통, 『감정과학에 기초한 중국 고대 회화 미학의 감정
   이해 분석』
2. 2023, 장학, 『감정과학에 기초한 주자와 왕양명의 '격물치지' 이
   론 연구 분석』
3. 2019, 유영관, 『'自明코칭'의 원리와 『中庸』의 '性, 道, 敎'에 대
   한 나의 이해』

- 석사학위

1. 2023, 왕우가, 『감정과학에 근거한 문화소비 개념 연구』
2. 2022, 유지진, 『공자의 감정과학에 기초한 『시경』「관저」의 인간
   행복 연구』
3. 2022, 부홍리, 『현대 중국 학문의 위기 극복 방법으로서 감정과
   학의 「안자호학론」』
4. 2022, 진방, 『감정과학에 근거한 『논어(論語)』의 '빈부' 이해』

기타 참고 문헌

1. 『공자 **儒學**의 철학적 기초로서 기하학』(성동권, 부크크, 2020)

2. 『에밀』(루소/ 김중현 옮김, 한길사, 2008)

3. 『유리학사』(세르반테스/김춘진 옮김, 문학과지성사, 2023)

4. 『임금 노동과 자본』(마르크스/ 박광순 옮김, 범우사, 2008)

5. 『정신현상학2』(헤겔/임석진 옮김, 한길사, 2024)

6. 『전쟁에 대한 철학적 탐구』(성동권, 부크크, 2024)

7. 『철학의 위안』(보이티우스/ 정의채 옮김, 바오로딸, 2017)

8. 『파이돈』(플라톤/ 최현 옮김, 범우사, 2008)

　끝으로 참고문헌에 관련하여 가장 중요한 것을 말씀드립니다. 연구 총서 시리즈 《성리학의 감정과학》은 '학고방'에서 출판한 『완역 성리대전』의 편집을 따라서 원문과 번역을 인용하였습니다. 그렇기 때문에 본서의 본문에서 『완역 성리대전』의 원문과 번역을 인용을 할 때에는 그 각각에 대한 서지 정보를 생략하였습니다. 주옥같은 번역문 각각을 인용함에 있어서 일일이 각주로 감사의 마음을 표하지 못한 것에 대해서 용서를 미리 구합니다. 『완역 성리대전』을 번역해 주신 선생님들과 이 위대한 번역서를 출판해 주신 학고방 사장님께 깊은 감사 인사를 드리며, 《성리학의 감정과학》 제3권 『서명』의 감정과학에 대한 장르분석을 시작하겠습니다.

1장. 乾稱父
전 칭 부

: 선험분석의 물자체

【원문】

乾稱父, 坤稱母. 予玆藐焉, 乃混然中處.
건 칭 부   곤 칭 모   여 자 막 언   내 혼 연 중 처

【감정과학의 분석】

'乾'(건)을 '아버지'라 부르고[乾稱父], '坤'(곤)을 '어머니'라 부른다
[坤稱母]. 지금 나의 작은 몸은[予玆藐焉] 그 한 가운데 '아버지어머
니'와 한 몸으로 존재한다[乃混然中處].

'물자체'(物自體)란 존재하는 것이 자기 안에 본래부터 품고 있는
자기 생김의 필연성입니다. 자기 생김에 대한 이해를 공간과 시간의
한계 안에서 감각적으로 지각되는 현상에 의존하여 형성하는 것은
'물자체'가 아닙니다. 자기 스스로 자기의 생김을 영원의 필연성으로
이해함으로써 그것이 본래부터 자기 안에 존재하고 있다는 사실을
명백하게 확인하는 것이 '물자체'입니다. 이러한 방식으로 자기 존재
의 진실을 이해할 때, 그 자기는 자연 안에 존재하는 모든 것을 자

기이해와 동일한 방식으로 이해할 수 있습니다. 자연의 모든 것을 영원의 필연성으로 인식합니다.

이 인식은 초월적인 것도 아니며 추상적인 것도 아닙니다. 우리 자신의 몸에 대해서 우리 스스로 생각해 보면, 매우 쉽고 명백하게 이해하는 것입니다. 우리 모두는 서로 다른 가문이나 부모로부터 생겨났습니다. 이러한 방식으로 우리 자신의 생김을 정의할 때, 이것은 엄밀히 말해서 물자체가 아닙니다. 공간과 시간을 통해서 감각적으로 드러나는 현상으로 우리 자신의 생김을 정의하는 것입니다. 그런데 오직 이것만으로 자기 존재의 생김을 이해하면, 뜻밖에 우리는 '왜 나는 이런 집안에서 태어났을까?'라는 원망을 할 수 있습니다. 심지어 자기 존재의 생김을 저주할 수도 있게 됩니다. 반대로 다른 사람을 향해 '너는 천한 핏줄과 가문에 속한다.'고 배척할 수 있습니다.

이 지점에서 우리는 물자체 인식이 얼마나 소중한지, 그리고 오직 이 인식만이 인간 행복의 본질을 형성한다는 사실을 확인할 수 있습니다. 우리는 자기 생김을 공간과 시간을 통해서 감각적으로 지각되는 현상으로 이해할 수 있지만, 얼마든지 물자체에 입각하여 자기 생김의 진실을 영원의 필연성으로 이해할 수 있습니다. 이 인식이 서문에서 언급한 '분석'의 기초입니다. 이 이해는 영원의 필연성으로 생명과 사랑입니다. 이 이해 안에서 우리는 절대 평등이며 절대 행복입니다. 그런데 이 이해는 우리에게 매우 어려운 것으로 다가옵니다. 그 이유는 현대 학문이 물자체를 향한 우리의 인식을 불가능으로 규정한 칸트의 철학 위에 세워져 있기 때문입니다. 칸트에 의하면 물자체는 우리에게 불가지(不可知)입니다.

그러나 우리는 칸트의 인식론을 절대적인 진리로 받아들일 필요가 전혀 없습니다. 왜냐하면 동서양의 모든 철학자들이 칸트의 인식론으로 학문론을 제시하지 않았기 때문입니다. 오히려 동서양 중세와 근대의 철학자들에게 물자체의 인식은 지극히 당연한 것일 뿐만 아니라 인간이 반드시 배워서 알아야 하는 핵심입니다. 서양 근대를 대표하는 철학자 스피노자는 자신의 저서인 『윤리학』에서 칸트가 '불가지'로 규정한 물자체 인식을 인간 정신에 고유한 본성으로 증명했습니다. 인간의 정신은 물자체를 배워서 이해한다는 것입니다. 동시에 이 증명에 입각하여 인간이 누릴 수 있는 최고의 행복이 무엇인지 분명하게 정리했습니다.

〔 스피노자 윤리학, 제5부 정리 22 〕
그럼에도 불구하고 신 안에는 필연적으로 어떤 인간의 몸의 본질을 영원의 상(相) 아래에서 표현하는 개념이 있다.
- 『신을 향한 지적인 사랑』(성동권, 부크크, 2024)

〔 스피노자 윤리학, 제5부 정리 29 〕
마음이 영원의 상(相) 아래서 감정을 이해한다고 할 때, 이 사실은 공간과 시간의 한계 안에서 몸을 생각하는 마음에서 나오는 것이 아니라 몸의 본질을 영원의 상(相) 아래서 이해하는 마음에서 나온다.
- 『신을 향한 지적인 사랑』(성동권, 부크크, 2024)

스피노자에 의하면, 우리 인간은 자기 몸을 비롯해서 자연의 모든 몸을 신의 본성에 고유한 '영원성'으로 이해할 수 있습니다. 칸트에 의해서 불가지로 간주된 것이 스피노자에게는 지극히 당연한 것입니다.

〚 스피노자 윤리학, 제5부 정리 27 〛
마음은 세 번째 종류의 인식에 의해서 최고의 자기만족을 누릴 수 있다.

- 『신을 향한 지적인 사랑』(성동권, 부크크, 2024)

더 나아가 스피노자는 인간 행복의 진실을 물자체 인식에 둡니다. '세 번째 종류의 인식'이란 몸의 본질을 영원의 필연성으로 인식하는 '물자체' 인식입니다. 스피노자는 이 인식을 통해서 "최고의 자기만족을 누릴 수 있다."라고 밝혔습니다.

그런데 이 인식과 행복은 서양 근대 철학자 스피노자의 철학에 국한 된 것이 아닙니다. 동양 근대 철학자인 조선 시대 성리학자 퇴계는 물자체 인식을 『성학십도』(聖學十圖)의 제6도인 「심통성정도」(心統性情圖)에서 다음과 같이 요약했습니다.

就氣稟中(취기품중) 指出本然之性(지출본연지성)

여기에서 매우 중요한 것은 '본연지성'(本然之性)입니다. 사물(氣)이 자기 생김에 관하여 본래부터 자기 안에 가지고 있는 본성의 필연성이 '본연지성'입니다. 지출(指出)은 이에 대한 명명백백한 인식을 뜻합니다. 그렇기 때문에 퇴계가 『성학십도』에서 제시한 '指出本然之性(지출본연지성)'은 물자체를 향한 스피노자의 인식과 본질적으로 일치합니다. 우리의 논의가 이 지점에 이르면, 물자체 인식을 불가지로 규정한 칸트의 인식론을 인간 정신의 보편적 기준으로 인정할만한 그 어떤 이유이나 근거도 없다는 것입니다. 서양의 스피노자와 동양의 퇴계는 오히려 칸트의 인식론을 터무니없는 것으로 간주합니다.

이제 우리에게 남은 것은 우리 자신의 결정입니다. 그러나 앞에서 잠깐 언급한 바와 같이 물자체 인식을 불가지로 인정하게 되면, 이로부터 우리는 뜻밖에 우리 자신을 불행의 나락으로 인도하게 됩니다. 심지어 다른 이를 불행하게 하는 잘못을 하게 될 수도 있습니다. 가장 기본적으로 우리는 우리 자신의 생김에 관하여 원망을 하게 됩니다. 나는 왜 이렇게 생겨난 거야? 나는 왜 이런 부모 밑에서 생겨난 거야? 이러한 자기 원망은 이후 '너'에 대한 원망과 분노로 전개됩니다. 너는 왜 그렇게 생겨난 거야? 너는 왜 그렇게 감정을 느끼는 거야? 이처럼 자기 행복의 기초를 상실한 사람은 다른 이의 생김과 놀이를 긍정하지 않습니다. 오히려 그들의 행복을 시기하며 다른 이의 불행으로 위안을 받습니다.

우리가 칸트의 인식론으로 우리 자신과 세상을 이해하는 한에서 우리는 근본적으로 위와 같은 불행에서 벗어날 수 없습니다. 왜냐하면 우리는 자신의 행복을 외부의 조건과 환경으로 결정하기 때문입니다. 어떤 이는 이러한 불행을 우리의 진실로 인정해야 한다고 주장할 수 있습니다. 그러나 동양의 유교문화는 그런 류의 주장들을 '자포자기'(自暴自棄)의 비극으로 규정합니다. 왜냐하면 자기 생김에 고유한 본성의 필연성인 물자체에 대한 자기이해가 분명하면, 이 이해로부터 자기는 자기 스스로를 구원하기 때문입니다. 자기는 조건과 환경에 의해 결정되는 존재가 아닙니다. 자기 진실에 입각하여 모든 조건과 환경을 능동적으로 살아갈 수 있다는 뜻입니다.

물자체를 향한 자기이해 안에서 자신의 행복을 최고의 완전성으로 확인하고 누릴 수 있는 방법이 있음에도 불구하고 이 방법을 부정하는 것이 자포자기입니다. 다음과 같은 질문을 예상할 수 있습니다.

물자체 인식이 무엇이기에 이 인식으로부터 우리는 우리 자신을 구원하고 동시에 최고의 행복을 누릴 수 있는가?

물자체 인식을 형성한다는 것은 자기 스스로 자기 존재의 생김을 영원의 필연성으로 인식하는 것입니다. 우리가 이 인식을 형성하는 한에서 자기는 자기 생김에 대해서 절대적으로 원망하지 않습니다. 왜냐하면 영원의 필연성은 그 어떤 가능성이나 우연성을 긍정하지 않기 때문입니다. 영원의 필연성 자체가 최고의 완전성입니다. 이 이해를 형성할 때, 자기는 감각적 조건이나 환경으로 지각되는 조상이나 부모의 현상으로 자기를 이해하지 않습니다. 영원의 필연성에 의해서 자기 존재가 결정되었다는 사실을 인식할 때, 자기는 최고의 완전성 및 최고의 아름다움으로 자기 존재를 바라보게 됩니다. 그렇기 때문에 핵심은 자기 존재에 고유한 영원의 필연성을 인식하는 물자체 인식입니다.

다음으로 자기 스스로 자기 생김의 진실을 영원의 필연성으로 인식할 때, 자기는 그 어떤 외부적 조건이나 환경에 의해서 수동적으로 결정되지 않습니다. 왜냐하면 앞에서 이미 언급한 바와 같이 자기는 영원의 필연성으로 생겨나서 존재하도록 결정되었기 때문입니다. 자기 존재에 고유한 본성인 영원의 필연성 안에서 존재하고 활동하도록 결정되었다는 사실을 자기 스스로 명백하게 이해하는 한, 자기는 조건이나 환경으로 자기의 존재와 활동을 결정하지 않습니다.

자기가 처한 조건이나 환경에 속박되기 보다는 자기 생김의 필연성을 따름으로써 오히려 조건이나 환경이 그에 따르도록 합니다. 더 나아가 자신이 처한 조건과 환경에 나아가 그에 고유한 본성의 필연성을 인식하며, 그에 기초하여 조건과 환경을 개선해 나아갑니다.

끊임없이 변화하는 조건이나 환경에 의해서 우리 자신이 결정되는 '부자유'와 우리 스스로 자기 본성의 영원한 필연성 안에서 모든 조건과 환경을 다스리는 '자유', 이 두 가지 경우 가운데 어느 것이 참다운 행복일까요? 우리 자신의 욕망은 어느 경우를 행복으로 추구할까요? 당연히 정답은 '자유'입니다. 자기 본성에 고유한 영원의 필연성을 인식함으로써 오직 자기 본성만을 따라서 살아가는 자유가 영원의 행복입니다. 우리가 이 자유로 살아갈 때 조건이나 환경은 우리를 옥죄는 질곡으로 작용하지 않습니다. 필연적으로 우리 자신의 본성을 따르게 됩니다.

부처님의 말씀을 기록한 초기 불경 가운데 하나인 『법구경』에는 '소리에 놀라지 않는 사자처럼'이라는 구절이 있습니다. 자기 스스로 자기 존재에 고유한 진실이 무엇인지 명석판명하게 이해하면, 자기는 자기이해만을 따라서 존재하고 활동하기 때문에 그러한 한에서 자기는 자기의 본성 이외 그 어떤 것에 의해서도 영향을 받지 않는다는 뜻입니다. 이 자유를 『법구경』은 '그물에 걸리지 않는 바람처럼'으로 표현하였습니다. 공자는 이 진실을 '종심소욕불유구'(從心所欲不踰矩)라고 요약하였습니다. 욕망의 본질은 '자기 보존'입니다. 욕망이 자기 본성의 필연성을 따르는 자유를 행복으로 추구하는 것은 당연합니다.

그러나 여전히 다음과 같은 질문은 유효합니다.

자기 스스로 자기 생김을 영원의 **필연성**으로 인식한다는 것은 무엇인가? 이 진실을 자기 본성의 필연성으로 인식할 때, 그것의 구체적인 내용은 무엇인가?

　　이 물음에 대한 답을 가르쳐주는 것이 지금 우리가 공부하는 '성리학'(性理學)의 핵심 목표입니다. 성리학(性理學)의 '성'(性)은 '자기 생김'입니다. 정확히 말하자면, 자기 '몸'의 생김입니다. 우리 모두는 각자 자기 몸으로 생겨나서 존재하고 있습니다. 자연을 구성하는 모든 것의 진실이기도 합니다. 모든 것은 자신만의 몸으로 생겨나서 존재하고 있습니다. 이 모든 것의 '몸-생김'이 '성'(性)입니다. 그런데 이에 대한 이해를 감각적 현상이나 조건 및 환경에 의존하는 것이 아니라 '몸-생김(性)' 안에 본래부터 존재하는 자기 생김의 필연성으로 형성하는 것, 이 이해가 '리'(理)입니다. 따라서 성리학은 몸의 생김에 나아가 그에 고유한 본성의 필연성을 이해하는 것입니다.

　　이러한 설명에도 불구하고 여전히 우리에게는 '몸-생김'(性) 그 자체에 고유한 '본성의 영원한 필연성'인 '리'(理)에 대한 이해가 쉽지 않은 것 같습니다. 공간과 시간의 한계 안에서 감각적으로 지각되는 현상으로 몸-생김을 이해하는 것은 매우 쉽습니다.

　　엄마아빠가 누구야? 조상 가운데 유명한 사람이 누구야? 엄마아빠는 무엇을 하는 사람이야? 어디에서 언제 태어났어? 나이가 몇 살이야?

　　그런데 이런 질문에 대한 대답을 '종합'함으로써 '몸-생김'(性)을 이해하는 것은 리(理)가 아닙니다. 존재 '그 자체'를 향한 인식이 아니라 존재의 '외부적 조건이나 환경'에 의존하여 존재를 이해하기 때문에 그렇습니다. 몸에 대한 이해가 공간과 시간 및 그로 인해 감각적으로 지각되는 조건이나 환경에 의존하는 것입니다.

중국 중세 시대인 북송(北宋) 시대의 성리학자 주돈이(周敦頤)는 이 문제에 대한 답으로서 '무극이태극'(無極而太極)을 제시하였습니다. '극'(極)이란 영원의 필연성을 뜻합니다. '태극'(太極)은 자연을 구성하는 모든 몸이 영원의 필연성에 의해서 존재하도록 결정되었다는 사실을 가리킵니다. 그리고 가장 중요한 것은 태극(太極) 앞에 '무극'(無極)을 둔 이유가 무엇인지 이해하는 것입니다. 몸에 대한 타당한 인식은 감각적 현상에 있지 않으며, 오직 몸의 본성에 고유한 영원의 필연성에 있다는 사실 확인이 무극입니다. 몸의 감각적 현상이나 그것이 속한 조건 및 환경에 의존하여 생각하면 몸의 생김에 고유한 본성 또는 그것의 영원한 필연성을 이해할 수 없기 때문에 '무극이태극'(無極而太極)으로 몸-생김을 설명하였습니다.

주돈이는 몸-생김에 고유한 본성으로서 '물자체'를 '무극이태극'(無極而太極)으로 정리한 다음, 구체적으로 몸이 어떻게 생겨났는지 설명합니다.

乾道成男(건도성남) 坤道成女(곤도성녀)
二氣交感(이기교감) 化生萬物(화생만물)

몸-생김에 고유한 영원의 필연성을 '무극이태극'(無極而太極)으로 요약했을 때, 그것은 구체적으로 '남'(男)과 '여'(女)의 교감(交感)이며 이로부터 자연을 구성하는 모든 몸이 무한한 방식으로 무한하게 생겨난다고 합니다. 이때 중요한 것은 남녀(男女)가 건곤(乾坤)으로 존재한다는 사실입니다. 여기에는 두 가지 중요한 뜻이 내포되어 있습니다.

① 교감의 주체로서 남녀는 감각의 대상으로 존재하는 남녀가 아닙니다. 아주 간단한 예로 눈에 보이는 남녀가 아니라는 뜻입니다.

② 남녀의 교감(交感)은 사실상 남녀의 섹스(sex)입니다. 이 두 가지 논점에 기초하여 보다 자세한 논의를 이어가겠습니다.

자연을 구성하는 모든 몸은 남녀의 교감(sex)으로 생겨나며, 이때의 남녀는 우리가 감각적 현상으로 지각하는 남녀가 아니라고 했습니다. 이 남녀의 교감은 무극이태극(無極而太極) 안에 존재하기 때문에 이때의 '남녀'와 '교감'은 무극이태극에 고유한 본성으로서 영원의 필연성을 본성으로 갖습니다. 이 두 주제는 감각에 의존해서는 절대적으로 확인할 수도 없고 이해할 수도 없습니다. 그러나 몸의 생김에 관한 한 영원의 필연성으로 '남녀'와 이 둘의 '교감'(sex)이 존재한다는 것은 어길 수 없는 진리입니다. 결국, 몸-생김(性)을 영원의 필연성(理)로 인식한다는 것은 실질적으로 남녀의 교감(sex)을 영원의 필연성으로 이해하는 것입니다.

이 대목에서 우리는 너무나 쉽게 남녀의 교감(sex)을 경험이나 감각적 현상으로 이해하는 오류를 범할 수 있습니다. 그러나 조금 전에 분명히 언급한 바와 같이 몸-생김을 영원의 필연성으로 설명하는 무극이태극(無極而太極) 안에 있는 남녀의 교감은 감각적 현상 및 그에 대한 해석으로 이해되는 것이 절대적으로 아닙니다. "乾道成男(건도성남) 坤道成女(곤도성녀)"라고 했습니다. 남녀는 감각적 현상으로서 남녀가 아니라 건곤(乾坤)입니다. 이 두 남녀의 교감(sex)에 의해서 자연을 구성하는 모든 몸이 필연적으로 생겨납니다. "二氣交感(이기교감) 化生萬物(화생만물)"이라고 했습니다.

이 지점에서 만물(萬物)에 대한 이해를 지금 우리 자신의 몸에 두어 생각하는 것이 지금 우리의 연구 주제를 올바르게 이해하는 방법입니다. 이 생각 안에서 우리 스스로 다시 생각해야 합니다. 지금 우리 자신의 몸이 생겨나기 위해서 두 남녀가 '교감'(sex)한다면, 이때의 두 남녀는 무엇일까요? 우리 스스로 생각해 보면, 두 남녀는 눈에 보이는 청춘 남녀가 절대 아닙니다. 당연히 우리의 몸을 낳아주신 아빠(男)와 엄마(女)입니다. 그런데 이미 앞에서 충분히 논의하였듯이 남녀는 절대적으로 감각적 현상으로 이해될 수 없다고 했습니다. 이것은 아빠와 엄마에 대한 이해에 적용됩니다.

내 몸을 낳아주신 아빠(男)와 엄마(女)도 당연히 감각적 현상이나 대상으로 존재할 수 없습니다. 이 사실로부터 아빠와 엄마의 교감(sex)도 당연히 감각적 현상이나 사건 등과 같은 것으로 이해될 수 없습니다. 우리가 '아빠와 엄마' 그리고 이 두 분의 '교감'을 이와 같은 방식으로 이해하는 한에서, 내 몸이 속한 가문이나 족보 그리고 엄마아빠를 둘러싼 조건이나 환경 같은 것들은 우리 자신의 '몸-생김'(性) 그 자체의 본성이 아니라는 것을 확인할 수 있습니다. 그럼에도 불구하고 우리 사유 안에서 최고의 완전성 그 자체로 명백한 사실은 엄마아빠에 의해서 우리의 몸이 생겨났다는 진리입니다.

여기에서 우리는 엄마아빠에 대한 두 가지 이해가 정립되는 것을 확인할 수 있습니다.

① 눈과 같은 감각 기관에 의존하여 엄마아빠의 존재를 이해하는 것.

② 자기 사유의 자명(自明)에 근거하여 자기 스스로 엄마아빠의 존재를 진리의 필연성으로 이해하는 것.

첫 번째 경우에 근거하여 생각하면, 엄마아빠는 우연성이나 가능성으로 존재합니다. 예를 들어서 고아로 태어나신 분에게는 엄마아빠가 없는 것 같습니다. 흔히 말하는 '수저 계급론'도 이에 해당합니다. '나는 왜 이런 부모에게서 태어났을까?' 등과 같은 생각은 자기 존재의 생김을 우연성으로 이해하는 것입니다. 그러나 두 번째 경우에 근거하여 생각하면, 엄마아빠는 영원의 필연성으로 존재합니다. 이 존재는 우리 스스로 자기 몸에 나아가 생김에 대해서 자기 스스로 생각했을 때, 자기 스스로 이해하는 진실입니다. 완전히 서로 다른 남녀로서 아빠와 엄마가 영원의 필연성으로 존재하며, 이 두 분은 교감(sex) 안에서 영원의 필연성으로 완전히 하나입니다. 이 존재의 사랑에 의해서 '나'의 몸이 태어났습니다.

이제 놀라운 일이 펼쳐집니다. 엄마아빠를 감각적 현상으로 이해했을 때, 자식으로 존재하는 우리 자신은 얼마든지 엄마아빠를 향해서 원망할 수도 있고 분노할 수도 있습니다. 그러나 지금 우리 자신의 몸에 나아가 우리 스스로 자기 몸의 생김에 대해서 생각해 보면, 자기 생각은 인과에 고유한 영원한 법칙에 근거하여 자기 몸이 영원의 필연성으로 존재하도록 결정되었다는 사실을 명백하게 이해합니다. 그리고 이 사실은 아빠인 '남자'와 엄마인 '여자'가 영원의 필연성 안에 존재함과 동시에 영원의 필연성으로 서로 사랑하고 있다는 사실을 영원의 필연성으로 확인합니다. 이로부터 '나'는 '몸-생김'을 최고의 완전성으로 이해합니다.

이 이해가 '물자체' 인식이며 자기 '몸-생김'을 영원의 필연성 그 자체인 최고의 완전성으로 이해하는 '자기이해'입니다. 이 이해를 향한 학문론이 '감정과학'(Science of Feelings)입니다. 그렇기 때문에 동양과 서양의 학문론 가운데 어떤 학문론이 물자체를 향한 명백한 인식을 추구함과 동시에 진리의 필연성으로 이 인식을 형성할 수 있다고 가르치고 있다면, 그 학문은 '감정과학'입니다. 이상의 논의에 기초하여 북송 시대 성리학자 장재(張載)의 『서명』(西銘)을 보겠습니다. 장재는 자기의 몸-생김에 대한 이야기를 다음과 같이 시작합니다.

乾稱父, 坤稱母. 予玆藐焉, 乃混然中處.
건칭부 곤칭모 여자막언 내혼연중처

'乾'(건)을 '아버지'라 부르고 '坤'(곤)을 '어머니'라 부른다. 지금 나의 작은 몸은 그 한 가운데 아버지어머니와 한 몸으로 존재한다.

장재에 의하면 '건'(乾)은 '아버지'이며 '곤'(坤)은 '어머니'입니다. 장재는 이것으로 자기 몸의 생김을 이해합니다. **"지금 나의 작은 몸은 그 한 가운데 아버지어머니와 한 몸으로 존재한다."**라고 분명히 말했습니다. 여기에서 매우 중요한 것은 '지금 나의 작은 몸'이 무엇인지 분명하게 이해하는 것입니다. 장재 자신의 몸이기도 하지만 동시에 지금 우리 자신의 몸이라는 사실을 절대로 간과해서는 안 됩니다. '여'(予)는 '나 자신'인데, 이 개념어는 절대적으로 '나' 자신과 분리될 수 없습니다. 장재에게 '여'(予)는 자기 자신이며, 이 글을 읽고 있는 우리 자신에게 '여'(予)는 우리 자신입니다. 나 자신을 뜻하는 '予'를 나와 무관한 3인칭으로 이해해서는 안 됩니다.

이 논점을 분명히 하고 나면, 우리는 장재가 주돈이의 성리학(性理學)을 올바르게 이해했다는 사실을 확인할 수 있습니다. 주돈이는 무극이태극(無極而太極) 안에서 몸이 어떻게 생겨나는지 다음과 같이 설명했습니다.

乾道成男 坤道成女 二氣交感 化生萬物
건도성남 곤도성녀 이기교감 화생만물

이것을 장재의 『서명』과 비교해 보겠습니다.

乾稱父, 坤稱母. 予玆藐焉, 乃混然中處.
건칭부 곤칭모 여자막언 내혼연중처

우리는 다음과 같은 등식을 확인할 수 있습니다.

乾道成男 = 乾稱父
건도성남   건칭부

坤道成女 = 坤稱母
곤도성녀   곤칭모

二氣交感 化生萬物 = 予玆藐焉, 乃混然中處.
이기교감 화생만물   여자막언 내혼연중처

두 남녀의 사랑에 의해서 모든 것이 생겨난다고 할 때, 그 모든 것을 우리 자신의 몸으로 이해하는 한에서 두 남녀의 사랑은 엄마아빠의 사랑입니다. 그리고 아빠와 엄마로 존재하는 남녀는 감각적 현상이 아니기 때문에 건곤(乾坤)입니다. 이로부터 엄마아빠의 사랑(sex) 또한 감각적 현상이 아닙니다. 내 몸 밖에 있는 감각적 대상이나 현상으로서 엄마아빠의 사랑이 아니라는 뜻입니다. 우리 자신의 생각을 오직 우리 자신의 몸에 두어 '몸-생김'에 대해서 생각해 보면, 엄마아빠의 존재는 영원의 필연성이며 이 두 분의 사랑 또한 영원의 필연성입니다.

이 두 분의 존재와 사랑을 지금 우리 자신의 몸에 대한 우리 자신의 생각이 자기 안에서 자기 스스로 확인했습니다. **"지금 나의 작은 몸은 그 한 가운데 아버지어머니와 한 몸으로 존재한다."**(予茲藐焉, 乃混然中處)라고 말한 결정적 이유입니다. 주돈이가 『태극도설』에서 말한 만물(萬物)을 지금 '나'의 몸으로 이해할 때, 건곤남녀(乾坤男女)는 '나'에게 아빠와 엄마이며, 건곤남녀의 교감(交感)은 영원의 필연성으로 존재하는 엄마아빠의 영원한 사랑입니다. 이 존재와 사랑에 의해서 지금 '나'의 몸이 생겨났다는 사실을 장재는 이해했습니다. 장재에게 이 사실은 몸-생김에 고유한 단 하나의 필연성입니다.

지금 '나'의 몸은 구체적인 형상을 가지고 있습니다. 공간과 시간의 한계 안에서 감각적으로 지각되는 현상이 분명합니다. 이 현상으로 엄마아빠를 이해할 수 있습니다. 엄마아빠도 현상으로 존재하는 남녀일 뿐입니다. 그러나 현상으로 존재하는 지금 '나'의 몸에 나아가 '나' 스스로 생각해 보면, 눈과 같은 감각 기관으로 지각되는 현상에 의존하지 않아도 생각 스스로 자명하게 형성하는 자기이해에 근거하여 몸-생김을 영원의 필연성으로 이해할 수 있습니다. 영원의 필연성으로 존재하는 엄마아빠의 사랑에 의해서 지금 '나'의 몸이 생겨났다는 사실은 내 몸-생김에 대한 자기이해의 진실입니다.

이 사실은 기하학으로 쉽게 이해할 수 있습니다. 매우 간단하게 우리 자신이 삼각형의 본성을 영원성 그 자체인 '세 개의 내각과 그 총합은 180도'로 이해할 때, 우리는 오직 이 본성만을 따라서 무한한 방식으로 무한한 삼각형을 그릴 수 있습니다. 무한한 방식으로 무한한 삼각형의 현상은 자기 생김에 고유한 영원의 필연성 안에 존재합니다. 같은 이치로 몸-생김의 현상을 이해할 수 있습니다. 몸은 자연 안에서 무한한 방식으로 무한하게 생겨납니다. 우리 몸도 그 가운데 하나입니다. 그러나 몸 그 자체의 생김은 영원의 필연성 그 자체로서 엄마아빠의 사랑입니다.

우리 몸은 서로 무한히 다릅니다. 지금 우리 자신의 몸도 무한히 변화합니다. 우리 몸을 낳아주신 엄마아빠도 무한히 다릅니다. 엄마아빠의 사랑도 무한히 다릅니다. 무한한 곡절이 있습니다. 그러나 지금 존재하는 우리 자신의 몸에 나아가 우리 자신의 몸-생김을 영원의 필연성으로 인식한다면, 그것은 엄마아빠의 존재와 그 존재에 고유한 사랑입니다. 감각적 현상으로 보면 엄마아빠는 얼마든지 존재하지 않을 수 있습니다. 엄마아빠의 사랑에도 수많은 이야기가 있습니다. 그러나 엄마아빠의 존재는 내 몸의 생김에 관한 한 나 자신의 이해 안에서 영원의 필연성이며, 두 분의 사랑도 마찬가지입니다. 우리는 우리 자신의 생김에 관하여 이것 이외의 그 어떤 것에 대해서도 생각할 수 없습니다.

이처럼 우리 자신의 몸을 향한 우리 자신의 사유가 자기이해 안에서 이성의 필연성으로 인식하는 몸-생김의 진실이 '물자체'입니다.

자기 본성의 필연성을 영원으로 이해한다는 것은 사실상 자기 몸의 생김을 영원무한의 필연성으로 존재하는 엄마아빠의 사랑으로 이해하는 것입니다. 이 인식을 추구하는 학문이 '성리학'(性理學)의 감정과학입니다. 그렇기 때문에 우리가 성리학으로 우리 자신의 생김을 이해하면, 우리는 절대적으로 부모를 향한 원망이나 분노에 빠지지 않습니다. 왜냐하면 우리는 영원의 필연성으로 존재하는 엄마아빠의 사랑에 의해서 생겨난 성스럽고 거룩한 존재이기 때문입니다.

우리는 무한한 방식으로 무한하게 생겨납니다. 엄마아빠의 이야기도 그만큼 무한합니다. 그러나 이 모든 무한성은 영원으로 존재하는 엄마아빠의 사랑 안에 있습니다. 이 사랑의 진실이 영원이면서 동시에 무한이기 때문에 마침내 물자체의 진실은 영원무한의 사랑으로 확인됩니다. 그리고 이 사랑은 생명을 낳기 때문에 당연히 영원무한의 생명입니다. 생명이 생명을 낳는다는 것은 자명한 진리입니다. 따라서 우리가 우리 자신의 몸에 나아가 자기 사유의 자명으로 몸의 생김을 이해하는 한에서 물자체의 진실은 다음과 같습니다.

물자체(물자체)
: 지금 내 몸은 영원무한의 생명과 사랑에 의해서 영원의 필연성으로 생겨나도록 결정되었다. 따라서 나의 몸은 영원무한의 생명과 사랑 안에서 존재하며 활동한다.

지금 '나'(予)의 몸은 공간과 시간의 한계 안에서 구체적인 현상으로 지각됩니다. 이 몸을 '곤'(坤)으로 정의합니다. 그러나 이 몸은 엄밀히 말해서 공간과 시간에 의해서 생겨난 것이 아니라 몸 그 자체의 영원한 본성으로 존재하는 엄마아빠의 생명과 사랑에 의해서 생겨난 것입니다. 눈으로 볼 수 없고 손으로 만져볼 수 없는 엄마의 몸과 아빠의 몸이지만, 이 두 분의 몸은 영원의 필연성으로 존재하며 동시에 이 두 분의 사랑 또한 영원의 필연성으로 존재합니다. 이 존재 안에 본래부터 지금 '나'(予)의 몸이 존재합니다. 왜냐하면 지금 내 몸은 영원의 필연성으로 존재하는 엄마아빠의 몸 안에서 영원의 필연성으로 생겨난 것이기 때문입니다. 영원의 필연성으로 존재하는 엄마아빠의 몸을 '건'(乾)으로 정의합니다.

건(乾)을 '아버지'라고 부를 때, 이미 앞에서 '남녀'와 관련하여 충분히 논의한 바, 이 '아버지'(乾)을 우리가 경험한 아버지로 생각해서는 안 됩니다. 곤(坤)을 '어머니'라고 부를 때에도 마찬가지입니다. 우리가 경험한 어머니로 생각해서는 안 됩니다. 지금 '나'의 몸에 대해서 '생김'을 이해할 때, 공간과 시간의 형식으로 드러나는 현상에 근거하는 것은 지극히 당연합니다. 이 방식으로 지금 '나'의 몸을 낳아주신 엄마아빠를 이해할 수 있습니다. 이 이해를 절대적으로 부정해서는 안 됩니다. '나'의 생김에 관한 한 절대적으로 빠질 수 없을 뿐만 아니라 엄격히 말해서 '나'에 대한 이해를 형성하는 기초입니다. 이것을 '곤(坤)-어머니'라 합니다.

그러나 '나'의 생김을 '곤(坤)-어머니'만으로 이해해서는 절대 안 됩니다. 분명한 것은 지금 '나'의 몸이 존재하기 위해서는 그에 앞서서 영원의 필연성으로 존재하는 엄마의 몸과 아빠의 몸 그리고 이 두 분의 사랑이 있습니다. 이는 지극히 당연합니다. '몸'이 '몸'을 낳기 때문입니다. 엄마의 몸과 아빠의 몸도 이 논리 안에 존재합니다. 엄마의 몸에 앞서서 엄마의 몸을 낳는 '엄마의 몸'(나에게 외할머니 몸)

과 '아빠의 몸'(나에게 외할아버지 몸) 그리고 이 두 분의 사랑이 존재해야 합니다. 아빠의 몸도 같은 논리 안에 존재합니다. 이로부터 지금 '나'의 몸에 앞서는 몸과 그에 앞서는 몸이 반드시 존재한다는 결론이 나옵니다.

이렇게 지금 존재하는 '나'의 몸에 나아가 '나' 스스로 '몸-생김'의 논리를 생각하면, 공간과 시간의 형식으로 이해되는 지금 '나'의 몸에 앞서 존재하는 몸 또한 반드시 공간과 시간의 형식으로 이해되며 동시에 그 모든 몸은 반드시 존재합니다. 나에 앞서서 무한히 존재하는 몸들에 의해서 지금 '나'의 몸이 생겨나도록 결정되었습니다. 이 무한성이 '곤(坤)-어머니'입니다. 지금 '나'의 몸에 앞서서 무한히 존재하는 '엄마아빠의 몸'에 의해서 지금 '나'의 몸이 생겨났다는 몸의 진실입니다. '나'에 앞서서 무한히 존재하는 '엄마아빠의 몸'은 자신만의 공간과 시간의 형식으로 존재합니다.

그러나 바로 이 지점에서 우리는 다음과 같은 질문을 할 수 있습니다.

과연 '나'에 앞서서 무한히 존재하는 '엄마아빠의 몸'이 진실로 존재하는가?

이 질문에 대한 답이 '건(乾)-아버지'입니다. '곤(坤)-어머니'는 공간과 시간의 형식으로 지각할 수 있는 지금 '나'의 몸이 존재하기 위해서는 당연히 공간과 시간의 형식으로 지각할 수 있는 '부모'의 몸이 무한히 존재해야 합니다. 그런데 우리는 '나'에 앞서는 부모의 무한한 몸들이 과연 존재하는지 모든 공간과 시간을 샅샅이 뒤져서 확인할 수 없습니다. 예를 들어서 고아로 태어나신 분들이나 어렸을 때 부모를 여의인 분들은 공간과 시간의 형식으로 존재했던 부모의 존재를 확인할 수 없습니다. 부모의 부모도 마찬가지입니다. 그에 앞서는 부모는 더욱 어렵습니다.

이렇게 생각을 거듭하면 할수록 공간과 시간의 형식으로 반드시 존재하는 부모의 무한성을 우리는 모든 특정된 공간과 시간으로 확인할 수 없습니다. 그러나 우리가 비록 공간과 시간의 형식으로 존재하는 부모의 무한성을 공간과 시간으로 추적할 수 없다고 해도, 우리 마음에 고유한 사유 능력에 근거하여 우리 스스로 생각해 보면 인과의 필연성에 의해서 지금 '나'의 몸에 앞서서 존재하는 무한한 부모는 영원의 필연성으로 존재합니다. 이 존재는 공간과 시간에 의해서 지각되는 것이 아니라 지금 '나'의 몸에 대한 지금 '나'의 생각이 자기이해의 완전성으로 확인한 것입니다.

이와 같이 '나'의 몸에 대한 이해를 이성의 필연성 안에서 영원의 필연성으로 형성하는 것이 '건(乾)-아버지'입니다. 이 이해는 '곤(坤)-어머니'에 대한 이해와 완전히 다릅니다. 물론 이 둘은 절대 떨어지지 않습니다. 그러나 그렇다고 해서 절대적으로 섞이지도 않습니다. 지금 '나'의 몸은 공간과 시간의 형식으로 지각됩니다. 이로부터 내 몸에 앞서서 존재하는 엄마아빠의 무한한 몸들도 공간과 시간의 형식으로 지각됩니다. 이 모든 무한한 몸이 공간과 시간의 형식으로 지금 나의 몸에 앞서서 존재하였습니다. 이것이 '곤(坤)-어머니'입니다.

이와 동시에 '나'를 중심으로 하여 그에 앞선 무한한 엄마아빠의 몸은 원인으로서 낳아주는 '몸'과 결과로서 낳아진 '몸' 사이에 놓여 있는 인과의 영원한 필연성 안에 있습니다. 무한한 몸은 영원의 필연성 안에 존재하며, 지금 '나'의 몸은 이 진실을 증명하는 단 하나의 존재입니다. 이 이해를 형성하는 것이 '건(乾)-아버지'입니다. 그렇기 때문에 이 아버지는 '곤(坤)-어머니'와 절대적으로 떨어질 수 없지만 그렇다고 해서 절대적으로 섞일 수 없습니다. 완전히 다른 '둘'이지만 완전히 '하나'입니다. 이 진실이 지금 '나'의 몸 안에 교차함으로써 생김에 고유한 본성의 필연성으로 존재하고 있습니다.

주자도 이 진실을 다음과 같이 확인합니다.

[4-1-1 『완역 성리대전』]

天, 陽也. 以至健而位乎上, 父道也. 地, 陰也. 以至順而位乎下, 母道也. 人稟氣於天, 賦形於地, 以藐然之身, 混合無間而位乎中, 子道也. 然不曰天地而曰乾坤者, 天地其形體也, 乾坤其性情也. 乾者, 健而無息之謂, 萬物之所資以始者也. 坤者, 順而有常之謂, 萬物之所資以生者也. 是乃天地之所以爲天地, 而父母乎萬物者. 故指而言之.

하늘은 양이다. 지극한 굳셈으로 위에 자리하니, 아버지의 도이다. 땅은 음이다. 지극한 순함으로 아래에 자리하니, 어머니의 도이다. 사람은 하늘에서 기를 받고, 땅에서 형체를 받으며, 작은 몸으로 혼연히 하나가 되어 틈이 없이 가운데에 자리하니, 자식의 도이다.

"하늘은 양이다. 지극한 굳셈으로 위에 자리하니, 아버지의 도이다."라는 것은 '물자체'를 향한 인식입니다. 마음(陽)은 몸에 나아가 그 생김에 고유한 영원한 필연성을 인식합니다. [이와 관련된 자세한 논의는 『주돈이 태극도설의 감정과학』 3부 1장의 「1. 감정으로 살아가는 후험종합」을 참조.] 이 인식에 대한 확인이 "사람은 하늘에서 기를 받고"입니다. 하늘에서 기를 받는다는 것은 기(氣)에 고유한 영원의 필연성입니다. 이 본성이 아니면 지금 나의 몸은 생겨날 수 없습니다. '건(乾)-아버지'입니다. 한편, "땅은 음이다. 지극한 순함으로 아래에 자리하니, 어머니의 도이다." 라는 것은 몸(陰)의 생김을 뜻합니다. 그래서 "땅에서 형체를 받으며"라고 말했습니다. '곤(坤)-어머니'입니다.

'건(乾)-아버지'와 '곤(坤)-어머니'가 교감(交感)한다는 것은 리(理)와 기(氣)의 교차입니다. '영원의 필연성'[理-乾-아버지-陽] 안에서 무한한 방식으로 무한한 몸이 생겨납니다[氣-坤-어머니-陰]. 이렇게 '리기'(理氣)의 교차(交感)에 의해서 생겨난 것이 지금 '나'의 몸입니다. 우리가 이렇게 우리 자신의 생김에 대해서 이해하는 한에서 우리는 우리 자신을 절대적으로 경시하거나 천시하지 않습니다. 왜냐하면 영원무한의 생명과 사랑을 증명하는 단 하나의 존재가 지금 '나'의 몸이기 때문입니다. "사람은 하늘에서 기를 받고, 땅에서 형체를 받으며, 작은 몸으로 혼연히 하나가 되어 틈이 없이 가운데에 자리하니, 자식의 도이다."라고 말한 이유입니다.

엄마아빠가 존재하지 않으면 우리 자신이 존재할 수 없습니다. 완전히 서로 다른 엄마아빠가 사랑 안에서 교차함으로써 우리 자신이 태어났습니다. 이 논리가 몸-생김에 고유한 본성의 필연성으로서 물자체 인식에 그대로 적용됩니다. 완전히 서로 다른 '영원의 필연성'인 '리'(理)와 몸의 무한성인 '기'(氣)가 교차함으로써 지금 '나의 몸'이 생겨나게 되었습니다. 영원과 무한의 교차가 지금 나의 몸으로 드러났습니다. 이러한 맥락에서 지금 '나'의 몸은 영원무한의 몸입니다. 이 진리의 필연성을 우리 몸으로 이해하는 한에서 리와 기는 아빠와 엄마로 비유할 수 있다는 것이 장재의 생각입니다.

주자도 다음과 같이 이 생각을 확인합니다.

[4-1-1-3 『완역 성리대전』]
"「西銘」自首至末, 皆是'理一分殊.' 乾父坤母, 固是一理. 分而言之, 便見
乾坤自乾坤, 父母自父母. 惟'稱'字便見異也."

(주자가) 말했다. "「서명」은 처음부터 끝까지 다 '리일분수(理一分殊)'
이다. 건을 아버지라고 하고 곤을 어머니라고 하는 것은 진실로 하나의
이치이다. 나누어서 말하면 건곤은 건곤이고, 부모는 부모라는 것을 알
게 된다. 오직 '일컬음[稱]'이라는 글자가 다른 점을 드러냈다.

"건곤은 건곤이고, 부모는 부모라는 것을 알게 된다. 오직 '일컬음[稱]'이
라는 글자가 다른 점을 드러냈다."라고 했습니다. 우리가 경험하는 부모
에 의존하여 건곤을 이해해서는 안 됩니다. 그러나 부모 없이 '나'의
몸이 생겨날 수 없듯이, 몸의 생김에 나아가 물자체의 인식을 형성
하면 영원(理)와 무한(氣)의 교차가 없이는 '나'의 몸이 생겨날 수 없
다는 것을 깨닫습니다. 이처럼 교차의 논리가 동일하기 때문에 '리
기'(理氣)가 교차하는 건곤의 논리를 이해하기 쉽도록 건곤을 부모로
설명할 뿐입니다. 단 하나는 영원의 필연성입니다. 이것이 '건(乾)-아
버지'로서 '리일'(理一)입니다. 이 필연성을 따라서 무한한 몸이 생겨
납니다. 엄마아빠의 몸에 의해서 지금 나의 몸이 생겨납니다. 이것이
'곤(坤)-어머니'로서 '분수'(分殊)입니다.

'리'[理-영원-乾-理一]와 '기'[氣-무한-坤-分殊]의 교차에 의해서
지금 나의 몸이 생겨났다고 했습니다. 그렇기 때문에 리기(理氣) 교

차와 지금 나의 몸은 절대적으로 떨어질 수 없습니다. 동시에 섞일 수도 없습니다. 이 진실을 이해하는 가장 쉬운 방법이 엄마아빠입니다. 서로 다른 분이 교차함으로써 우리가 생겨났습니다. 그러나 그렇다고 해서 우리가 감각으로 경험하는 '엄마아빠'와 몸의 생김 그 자체에 고유한 진실로서 '건곤부모'를 혼동해서는 안 됩니다. 경험 속 부모는 우리 자신의 몸과 항상 떨어져 있습니다. 심지어 돌아가신 경우라면 감각적으로 경험할 수 없습니다. 그러나 리기(理氣) 교차, 즉 '건곤 부모'의 교차는 우리 자신과 절대 떨어지지 않거니와 섞이지도 않습니다. 물자체이기 때문입니다.

주자는 이 사실을 다음과 같이 확인합니다.

[4-1-1-5 『완역 성리대전』]
"'混然中處', 言混合無間. 蓋此身便是從天地來."

(주자가) 말했다. "'혼연히 그 속에 있다.'라고 하는 것은 혼연히 하나가 되어 틈이 없다는 말이다. 이 몸은 바로 천지에서 온 것이다."

단 하나의 영원무한이 존재합니다. 단 하나의 영원무한 안에서 단 하나의 영원무한으로 지금 '나'의 몸이 존재합니다. 자연을 구성하는 모든 몸에 고유한 진실입니다. 두 개 또는 그 이상의 실체(영원무한)이 존재하는 것이 아닙니다. 단 하나의 영원무한 안에서 단 하나의 영원무한이 무한한 방식으로 무한하게 생겨납니다. 이 진실 안에서 '나'에 앞서는 부모의 몸이 생겨났으며, 이 진실은 동시에 지금 나의 몸에 고유한 생김 그 자체의 진실로서 물자체입니다. 이 진실은 경험으로 확인할 수 없기 때문에 선험(先驗)이며, 동시에 이 진실은 지금 나의 몸에 대한 자기이해의 자명으로 형성하기 때문에 분석(分析)입니다.

이러한 물자체 인식 또는 선험분석의 진실을 주자도 다음과 같이 확인합니다. (중요 부분을 강조하기 위해서 밑줄을 그었습니다.)

[4-1-1-6 『완역 성리대전』]

"人之一身, 固是父母所生. 然父母之所以爲父母者, 卽是乾坤. 若以父母而言, 則一物各一父母; 若以乾坤而言, 則萬物同一父母矣. 萬物旣同一父母, 則吾體之所以爲體者, 豈非天地之塞, 吾性之所以爲性者, 豈非天地之帥哉?

(주자가) 말했다. "사람의 한 몸은 진실로 부모가 낳은 것이다. 그러나 부모가 부모가 되는 까닭은 바로 건곤(乾坤)이다. 만약 부모로 말하면 한 사람에게는 부모가 각각 하나씩이다. 만약 건곤으로 말하면 만물은 똑같이 부모가 하나이다. 만물이 이미 똑같이 부모가 하나라면, 내 몸이 몸이 되는 까닭이 어찌 천지를 가득 채운 것이 아니겠으며, 내 성(性)이 성(性)이 되는 까닭이 어찌 천지를 거느린 것이 아니겠는가?

우리 모두가 서로에게 다른 것은 우리를 낳아주신 부모가 서로 다르기 때문입니다. 이처럼 '다름의 무한성'이 '기'(氣)입니다. 서로 다른 부모로부터 서로 다르게 생겨났다는 사실이 '곤(坤)-어머니'입니다. 그러나 이 사실은 영원의 필연성 안에 있습니다. '낳아주는 몸'과 '낳아진 몸' 사이에 놓인 인과의 영원한 필연성은 그 어떤 우연성이나 가능성에 의해서 영향 받지 않습니다. 이 사실이 '건(乾)-아버지'입니다. 이처럼 건곤부모의 교차로 몸이 생겨나기 때문에 이 교차의 논리를 엄마아빠를 통해서 은유적으로 설명할 뿐입니다. 이렇게 자기 몸 그 자체의 진실로서 물자체 인식이 분명할 때, 단 하나의 실체로서 영원무한의 진리가 밤하늘 둥근 보름달처럼 환하게 드러납니다.

이 진실에 근거하여 "만물이 이미 똑같이 부모가 하나라면, 내 몸이 몸이 되는 까닭이 어찌 천지를 가득 채운 것이 아니겠으며"라는 명제가 진리로 드러납니다. 단 하나의 영원무한 안에서 단 하나의 영원무한이 무한한 방식으로 무한하게 생겨납니다. 단 하나의 영원무한에서 보면 완전히 하나입니다. 이 사실이 '리일'(理一)로서 '인'(仁)입니다. 그러나 단 하나의 영원무한은 자기 안에 단 하나의 영원무한을 무한한 방식으로 무한하게 갖습니다. 이 사실이 '리일'(理一)의 '분수'(分殊)로서 '의'(義)입니다. 이 사실이 지금 '나'의 몸에 고유한 본성의 필연성으로서 물자체이며, 동시에 자연을 구성하는 모든 몸에 공통된 단 하나의 보편적 진리입니다.

끝으로 서산 진씨의 설명을 참고하시기 바랍니다. 중요 부분을 강조하기 위해서 밑줄로 표시하였습니다.

[4-1-1-7 『완역 성리대전』]
西山眞氏曰："「西銘」推事親之心以事天. 蓋父母生我者也, 而所以生之者, 天地也. 天賦以氣, 地賦以形; 父母固我之父母也, 天地亦我之父母也. 朱子曰, '父母者, 一身之父母也, 天地者, 人與物己與人皆共以爲父母者也. 父母之生我也, 四肢百骸, 無一不全, 必能全其身之形, 然後爲不忝於父母. 天地之生我也, 五常百善, 無一不備, 必能全其性之理, 然後爲不負於天地.' 故仁人事親如事天, 事天如事親. 此又「西銘」之妙指, 不可以不知也."

서산 진씨(西山眞氏 : 眞德秀)가 말했다. "「서명」은 부모를 섬기는 마음을 미루어 하늘을 섬기게 한 것이다. 부모는 나를 낳은 사람이지만, 나를 낳게 한 것은 천지이다. 하늘은 기를 부여하고, 땅은 형체를 부여하니, 부모는 본래 나의 부모이지만, 천지 또한 나의 부모이다. 주자는 '부모는 한 몸의 부모이고, 천지는 사람과 만물, 나와 남이 모두 함께 부모로 삼는 것이다. 부모가 나를 낳았을 때에는 사지와 온몸이 하나라도 온전하지 않음이 없으니, 반드시 그 몸의 형체를 온전히 한 후에야 부모에 부끄럽지 않을 수 있다. 천지가 나를 낳았을 때에는 오상(五常)과 모든 선이 하나라도 갖추어지지 않음이 없으니, 반드시 그 성(性)의 이치를 온전히 한 후에야 천지를 저버리지 않게 된다.'"라고 했다. 그러므로 어진 사람은 부모를 섬기기를 하늘을 섬기는 것과 같이 하고, 하늘을 섬기기를 부모를 섬기는 것과 같이 한다. 이 또한 「서명」의 오묘한 뜻이니, 알지 않아서는 안 된다."

"천지가 나를 낳았을 때에는 오상(五常)과 모든 선이 하나라도 갖추어지지 않음이 없으니"라고 말했습니다. 자기 몸에 나아가 물자체의 진실을 이해하는 사람은 영원무한을 자기 존재에 고유한 본성의 필연성으로 인식하는 사람입니다. 이 인식이 자기이해 안에서 분명할 때, 자기는 최고의 완전성으로 최고의 행복을 누리게 됩니다. 이 장의 서두에서 물자체 인식이 왜 중요한지 설명했습니다. 이 지점에 이르러 이 인식의 중요성이 우리에게 분명하다면, 우리의 논의는 2장으로 넘어갈 수 있습니다. 자기 존재의 필연성에 대한 인식이 행복의 기초를 정립하는 첫 단추입니다. 이 인식이 분명할 때 우리는 공간과 시간의 무한한 조건이나 환경을 자유롭게 살아갈 수 있습니다.

2장. 故天地之塞

: 내 몸의 성스러움

【원문】

故‘天地之塞’, 吾其體; ‘天地之帥’, 吾其性.

【감정과학의 분석】

그러므로 자연을 구성하는 모든 몸이[故‘天地之塞’] 지금 나의 몸이며[吾其體], 자연을 이끌어가는 것은[‘天地之帥’] 지금 나의 몸에 고유한 본성이다[吾其性].

우리 자신이 자기 몸에 나아가 몸 그 자체의 진실로서 ‘물자체’(物自體)를 이해한다는 것은 영원무한의 생명과 사랑을 이해하는 것입니다. ‘나’의 진실은 ‘영원무한의 생명과 사랑’입니다. 영원무한은 ‘단 하나’입니다. 영원은 필연성이기 때문에 오직 자기 하나로 존재합니다. 무한은 모든 공간과 시간을 자기 안에 품고 있기 때문에 자기 밖 그 어떤 공간과 시간을 긍정하지 않습니다. 그리고 ‘영원무한’은 몸으로 존재하는 생명과 사랑이기 때문에 ‘단 하나’로서 영원무한은 '실체'입니다. 따라서 우리가 자기 몸에서 물자체의 진실로서 영원무한의 생명과 사랑을 이해한다는 것은 실질적으로 영원무한의 생명과 사랑이 자신의 영원무한을 이해하는 자기이해입니다.

단 하나의 실체로서 영원무한의 생명과 사랑이 진실로 존재합니다. 이 존재는 감각으로 확인되는 것이 아닙니다. 물자체의 진실이기 때문에 우리 스스로 자기 몸에 나아가 생각해 보면, 마치 빛이 자신의 빛으로 자기 존재를 증명하는 것과 같이, 생각은 자기 사유의 자명으로 자기 몸에 고유한 진실로서 영원무한의 생명과 사랑이 존재한다는 사실을 진리의 필연성으로 명백하게 이해합니다. 영원무한의 생명과 사랑이 진실로 존재하며, 이 존재 안에 영원무한의 생명과 사랑이 무한한 방식으로 무한히 생겨납니다. 지금 내 몸에 고유한 진실이며, 자연을 구성하는 모든 몸에 고유한 진실입니다. 그렇기 때문에 물자체의 진실을 이해하는 사람은 다음과 같이 말합니다.

자연을 구성하는 모든 몸이 지금 나의 몸이며, 자연을 이끌어가는 것은 지금 나의 몸에 고유한 본성이다.

자연을 구성하는 모든 몸은 각자 처한 공간과 시간이 서로 다릅니다. 그렇기 때문에 자연의 모든 몸은 무한한 현상으로 드러납니다. 같은 것이 전혀 없습니다. 예를 들어서 완벽하게 닮은 쌍둥이도 서로 다른 몸으로 자신만의 공간과 시간을 살아갑니다. 각자 처한 공간이 서로 다릅니다. 그러나 자연의 모든 몸은 자기 존재에 관하여 영원의 필연성을 따라서 무한히 생겨나고 변화합니다. 자연 안에 어떤 몸이 있다면, 그것은 그에 앞서는 어떤 몸에 의해서 생겨난 것입니다. 왜냐하면 '몸'(낳는 몸)이 '몸'(낳아진 몸)을 낳아주기 때문입니다. '결과'로서 존재하는 몸은 자기에 앞선 '원인'으로서 존재하는 몸에 의해서 결정되었습니다. 원인으로 존재하는 몸이 없다면, 그 어떤 몸도 결과로 존재할 수 없습니다. 그런데 자연 안에는 무한한 몸이 무한한 방식으로 생겨나고 변화합니다. 따라서 자연 안의 모든 몸은 영원의 필연성으로 존재합니다.

지금 우리 자신의 몸을 비롯해서 자연을 구성하는 무한한 몸은 인과의 영원한 필연성으로 생겨납니다. 우리가 우리 자신의 몸에 나아가 이 사실을 이해하는 한에서 우리는 자연의 모든 몸에 대한 확고부동한 믿음을 형성하게 됩니다. 그 어떤 몸도 우연적으로 또는 가능적으로 존재하지 않습니다. 이 이해로부터 우리는 자연 그 자체 및 자연을 구성하는 모든 몸을 순수지선으로 이해합니다. 왜냐하면 자연의 모든 몸은 지금 생겨난 그대로 영원의 필연성에 의해서 그와 같은 방식으로 생겨나도록 결정된 것이기 때문입니다. '나는 왜 이렇게 생겨났을까?' 등과 같은 질문이나 생각을 절대적으로 허용하지 않습니다. 지금 생김 그대로가 영원의 필연성입니다. 지금 존재하는 방식 이외 다른 방식은 상상할 수 없습니다.

선택의 여지없이 영원의 필연성으로 존재하는 것을 우리는 '순수지선'(純粹至善)으로 정의합니다. 이는 감각적 현상을 두고 하는 말이 절대 아닙니다. 이 사실을 우리가 반드시 이해할 수 있어야 합니다. 감각적 현상에 대한 해석적 판단에 근거하여 존재의 선악이나 순수지선을 이해하면, 그 즉시 존재의 순수지선은 부정됩니다. 왜냐하면 나에게 아름다운 것이 얼마든지 다른 이에게는 추한 것이 될 수 있기 때문입니다. 그러나 어떤 것에 대한 감각적 판단이 서로 다르다고 하여도 우리가 그것에 고유한 물자체 진실로서 영원무한의 필연성을 이해하는 한에서 그것은 절대적으로 순수지선입니다. 지금 생겨난 그대로가 영원무한의 필연성이므로 생김 그 자체가 절대적인 진리입니다.

주자도 다음과 같이 이 사실을 확인합니다.

[4-2-1-1『완역 성리대전』]
朱子曰 : 「西銘」大要在'天地之塞, 吾其體; 天地之帥, 吾其性'兩句上. 塞是說氣.

주자가 말했다. 「서명」의 요점은 '천지를 채우고 있는 것을 내가 몸으로 삼고, 천지를 거느리는 것을 내가 성(性)으로 삼는다.'는 두 구절에 있다. 가득 찬 것은 기(氣)를 말한다.

자연(天地)에 가득한 것은 무한한 방식으로 무한하게 생겨나 존재하고 있는 '몸'입니다. 이렇게 무한한 몸을 '기'(氣)라고 정의합니다. 이것을 내 몸으로 삼을 수 있는 까닭은 그 모든 몸이 내 몸의 본질과 동일하기 때문입니다. 영원무한의 필연성 또는 영원무한의 생명과 사랑이 그것입니다. 이것에 의해서 자연의 모든 것이 생겨나기 때문에 천지를 거느리는 것은 영원무한의 생명과 사랑입니다. 이것은 내 몸에 고유한 본성의 필연성으로서 성(性)이며, 동시에 자연 전체의 본성입니다. 이 본성이 성리학(性理學)의 핵심으로서 성리(性理)입니다. 우리가 자기의 몸에 나아가 성리의 진실을 이해하면, 이것으로 우리는 자연에 대한 믿음을 형성합니다. 이 믿음 안에서 우리는 자연의 모든 몸을 '성리'로 배워서 자연의 순수지선을 이해할 수 있습니다.

이러한 성리(性理)의 진실에 대해서 주자도 다음과 같이 확인합니다.

[4-2-1-2 『완역 성리대전』]

"塞, 只是氣, 吾之體, 即天地之氣; 帥, 是主宰, 乃天地之常理也. 吾之性, 即天地之理."

(주자가) 말했다. "색(塞)은 단지 기이니, 나의 몸은 바로 천지의 기(氣)이다. 수(帥)는 주재이니, 바로 천지의 일정한 이치이다. 나의 성(性)은 바로 천지의 리(理)이다."

"나의 몸은 바로 천지의 기(氣)이다."라고 말하는 이유는 우주의 먼지 같이 작은 지금 나의 몸이 자연의 모든 몸과 본질에 관하여 동일하기 때문입니다. 감각에서 보면 서로 다른 몸입니다. 그러나 본질에서 보면 하나의 몸입니다. 그 본질이 영원무한의 생명과 사랑입니다. 주자는 이 사실을 "천지의 일정한 이치"라고 확인했습니다. 이를 근거로 주자는 "나의 성(性)은 바로 천지의 리(理)이다."라는 명제를 제시합니다. 영원무한의 생명과 사랑 또는 영원무한의 필연성으로서 '리'(理)의 존재가 명백하기 때문에 우리가 이 존재를 이해하는 한에서 자연 안에서 완전히 서로 다른 몸이 동시에 본래부터 완전히 서로 일치하는 단 하나의 몸입니다.

단 하나로 존재하는 영원무한의 생명과 사랑 안에서 영원무한의 생명과 사랑이 무한한 방식으로 무한하게 생겨납니다. 이러한 맥락에서 우리는 주자의 다음과 같은 주장을 쉽게 이해할 수 있습니다.

[4-2-1-3 『완역 성리대전』]

其謂之'兄弟'·'同胞', 乃是此一理與我相爲貫通. 故上說'父母', 下說'兄弟', 皆是血脈過度處.

'형제'와 '동포'라고 말하는 것은 <u>이 하나의 리(理)가 나와 서로 관통한다.</u> 그러므로 위에서 '부모'라고 말하고, 아래에서 '형제'라고 말하는 것은 다 혈맥이 통과하는 것이다.

핵심 부분을 강조하기 위해 밑줄로 표시하였습니다. 자연의 모든 몸은 서로 다르지만, 동시에 "<u>이 하나의 리(理)가 나와 서로 관통한다.</u>"라고 했습니다. 이 인식이 중요한 이유는 두 가지 측면에서 확인할 수 있습니다.

① 우리는 자연의 무한한 현상을 순수지선으로 믿을 수 있습니다.
② 우리가 이 믿음으로 자연을 이해하는 한에서 우리는 절대적으로 자연의 진실을 전쟁이 아닌 사랑과 평화로 확인할 수 있습니다.

우리가 이 두 가지 주요 논점을 이해하면, 인간의 정신을 전쟁이 아닌 사랑과 평화로 확립하는 유일한 방법은 물자체 인식 안에서 자연의 무한한 현상을 배워서 이해하는 데에 있다는 것을 깨닫게 됩니다. 가깝게는 가족 및 가까운 친구로부터 멀게는 자연 전체를 물자체 인식으로 배워서 이해해야 합니다. 이러한 진실을 주자도 아래와 같이 확인합니다.

[4-2-1-4 『완역 성리대전』]

問 : "'天地之帥, 吾其性', 先生解以'乾健·坤順'爲'天地之志', 天地安得有志?"

曰 : "'復, 其見天地之心', '天地之情可見', 安得謂天地無心情乎?"

或問 : "福善禍淫, 天之志否?"

曰 : "程先生說'天地以生物爲心', 最好. 此乃是無心之心也."

물었다. "'천지를 거느리는 것을 내가 성(性)으로 삼는다.'는 것에서 선생은 '건이 굳세고 곤이 순하다'는 것을 '천지의 뜻'으로 삼는다고 풀이했는데, 천지에 어찌 뜻이 있을 수 있습니까?"

(주자가) 대답했다. "'복괘에서 그 천지의 마음을 본다.'고 하고, (대장괘에서)'천지의 정을 볼 수 있다.'고 했는데, 어찌 천지가 심정이 없다고 말할 수 있겠는가?"

어떤 사람이 물었다. "선에 복을 내리고 악에 재앙을 입히는 것은 하늘의 뜻입니까?"

(주자가) 대답했다. 정[程頤] 선생이 '천지는 만물을 낳는 것을 마음으로 여긴다.'고 한 말이 가장 좋다. 이것은 마음이 없는 마음이다."

자연 자체가 영원무한의 생명과 사랑을 자기 본성의 필연성으로 가지고 있습니다. 자연은 이러한 자기 본성을 따라서 무한한 방식으로 무한한 몸을 낳습니다. 이 사실로부터 자연을 구성하는 무한한 몸 각각이 자기의 생김으로 자연의 본성을 증명합니다. 이것이 자연의 마음입니다. 이 마음을 주자는 "천지의 마음"이라 정의합니다. 그런데 앞에서 논의하였듯이 우리가 이 마음을 이해한다는 것은 사실상 우리 자신이 자기의 몸에 대한 이해를 물자체로 형성한다는 것이며, 이 이해로부터 우리의 정신은 전쟁이 아닌 사랑과 평화의 정신으로 확립된다고 하였습니다. "어찌 천지가 심정이 없다고 말할 수 있겠는가?"라고 말한 이유입니다.

　이 마음의 진실이 주자가 말한 "천지는 만물을 낳는 것을 마음으로 여긴다.'고 한 말이 가장 좋다. 이것은 마음이 없는 마음이다."입니다. 자연의 마음은 영원무한의 생명과 사랑입니다. 이 마음은 당연히 자신의 본성인 영원무한을 따라서 영원의 필연성 안에서 무한한 몸을 낳습니다. 이 마음으로 존재하는 자연의 몸이 자기 마음을 따라서 우리의 몸을 비롯해서 자연의 모든 몸을 낳았습니다. 또한 이 마음의 진실은 영원무한이기 때문에 단 하나의 실체이며, 오직 이 사실로부터 이 마음은 지금 우리 자신의 마음에 고유한 본성입니다. 이 본성과 동일한 논리를 따라서 생겨난 것이 지금 우리의 몸입니다. 그렇기 때문에 우리가 자신의 몸에 나아가 영원무한의 생명과 사랑을 이해한다는 것은 실질적으로 자연의 마음과 우리의 마음이 본래 하나라는 사실을 확인하는 것입니다.

　이렇게 우리 자신의 몸에 나아가 우리 스스로 생각함으로써 몸에 고유한 물자체 인식을 이해할 때, 우리는 자연의 진실을 분명하게 인식할 수 있습니다. 이 인식과 동시에 우리의 정신은 생명과 사랑으로 가득하기 때문에 절대적으로 우리는 불행하거나 잘못을 하지 않습니다. 영원의 필연성으로 순수지선 안에서 순수지선을 누리는 최상의 축복을 누리게 됩니다. 그렇기 때문에 핵심은 우리 스스로 자기 몸에 나아가 자기이해의 자명을 형성하는 것입니다. 자기를 배우는 학문으로서 위기지학(爲己之學)을 성리학이 강조하는 이유는 여기에 있습니다. 이러한 학문의 핵심을 주자도 다음과 같이 분명하게 밝힙니다.

[4-2-1-9 『완역 성리대전』]
"且逐日自把身心來體察, 便見得吾身便是天地之性, 吾性便是天地之帥."

(주자가 말했다.) "또한 날마다 스스로 몸과 마음을 직접 살피면 나의 몸은 바로 천지를 채우고 있는 것이고, 나의 성(性)은 바로 천지를 거느리는 것임을 볼 수 있다."

주자는 "날마다 스스로 몸과 마음을 직접 살피면"이라고 분명히 말했습니다. 자기 몸을 떠나서 진리를 생각하거나 배울 수 없습니다. 마음이 자기 스스로 자기 몸에 나아가 자기이해를 확인할 때, 진리에 대한 명백한 이해를 정립할 수 있습니다. 이 진리에 근거하여 나의 마음은 자연의 모든 몸을 진리의 필연성으로 배워서 이해할 수 있습니다. 이러한 측면에서 문명의 번영과 발전 그리고 행복을 위한 유일한 방법은 성리학의 감정과학을 연마하는 것입니다. 왜냐하면 우리 모두가 성리학의 감정과학을 연마하는 한에서 우리의 정신은 생명과 사랑으로 가득하며, 동시에 이 정신으로 자연의 모든 것을 영원의 필연성으로 이해하는 한에서 학문은 자연의 무한성에 비례하여 무한히 진보하기 때문입니다.

그러므로 우리는 북계 진씨의 다음과 같은 주장을 쉽게 이해할 수 있습니다.

[4-2-1-12 『완역 성리대전』]
北溪陳氏曰 : "性只是理. 人之生不成只空得箇理. 須有箇形骸, 方載得此理. 其實理不外乎氣. 得天地之氣成這形; 得天地之理成這性. 所以橫渠曰'天地之塞, 吾其體; 天地之帥, 吾其性.' '塞'字, 只是就孟子'浩然之氣, 塞乎天地'句

掇一字來說'氣'；'帥'字, 只是就孟子'志, 氣之帥'句掇一字來說'理'.”

　　북계 진씨(北溪陳氏 : 陳淳)가 말했다. “성은 다만 리(理)이다. 사람이 태어날 때에 그저 공허하게 리(理)를 얻었다고 해서는 안 된다. 반드시 형체가 있어야 비로소 이 리(理)를 실을 수 있다. 사실 리(理)는 기 밖에 있지 않다. 천지의 기를 얻어 이 형체를 이루고, 천지의 리(理)를 얻어 이 성(性)을 이룬다.

　　“반드시 형체가 있어야 비로소 이 리(理)를 실을 수 있다.”라고 했습니다. 지금 ‘나’의 몸은 생김 그대로 영원무한의 생명과 사랑 안에서 영원무한의 생명과 사랑에 의해서 생겨난 것입니다. 지금 생겨난 존재하는 방식 이외 그 어떤 다른 우연성이나 가능성은 없습니다. 내 몸에 앞서서 존재하는 무한한 몸이 지금 내 몸의 생김을 결정했으며, 이 결정은 영원무한의 필연성입니다. “천지의 기를 얻어 이 형체를 이루고, 천지의 리(理)를 얻어 이 성(性)을 이룬다.”라고 말한 까닭입니다. 그러므로 지금 ‘나’의 몸 생김 그대로가 성스러움 그 자체이며, 자연의 모든 것이 내 몸과 동일하게 최고의 완전성 그 자체인 성스러움으로 생겨나서 존재합니다.

3장. 民吾同胞
민 오 동 포

: 본래 하나의 몸

【원문】

民吾同胞, 物吾與也.
민 오 동 포   물 오 여 야

【감정과학의 분석】

모든 사람은 내 몸의 본성과 동일한 엄마아빠의 생명과 사랑으로 생겨났으며[民吾同胞], 자연의 모든 것은 영원무한의 생명과 사랑 안에 함께 존재한다[物吾與也].

지금 '나'의 몸을 비롯해서 우리 모두의 몸 그리고 자연을 구성하는 모든 몸은 영원무한의 생명과 사랑 안에서 생겨나서 존재하고 있다고 정리했습니다. 그런데 여기에서는 사람과 그 이외의 모든 것들을 구분하고 있습니다. '동포'(同胞)와 '여'(與)가 그것입니다. 그러나 우리는 이것을 근거로 '단 하나의 영원무한'을 부정해서는 안 됩니다. 왜냐하면 이 구분은 '단 하나'의 실체로서 영원무한의 생명과 사랑을 부정하기 위한 것이 아니라 이 진실을 향한 인식이 얼마나 중요한지 확인하는 것이기 때문입니다. 오직 우리 인간만이 자기 몸에 나아가 물자체의 인식을 배우며 가르칩니다. 인간 이외 그 어떤 것도 이 인식을 향한 학문을 연마하지 않습니다.

자연과학을 전공한 학자들 가운데 종종 인간 이외 자연의 생물을 연구하며 그것으로 인간의 윤리와 행복을 논하는 학자들이 있습니다. 그러나 그런 방식으로 인간의 행복과 본성을 논하는 것은 매우 타당하지 못한 것입니다. 자기 스스로 인간의 성스러움을 제대로 이해하지 못했다는 것을 고백하는 것입니다. 특히 그런 류의 주장들은 인간의 마음이 얼마나 소중한지 제대로 알지 못하기 때문에 발생하는 무지의 소산일 뿐입니다. 왜냐하면 오직 인간의 마음만이 자기 사유의 자명(自明) 안에서 자기 몸의 진실을 영원무한의 생명과 사랑으로 이해하기 때문입니다. 인간은 물자체를 향한 자기이해의 자명으로 최고의 완전성 안에서 최고의 행복을 누립니다.

그들은 자기의 주장을 옹호하기 위해서 인간이 살아가는 모습을 근거로 제시합니다. 동물과 다를 바가 없다고 합니다. 이 주장은 물자체에 근거하여 보면 지극히 당연한 것입니다. 자연을 구성하는 모든 것은 생물과 무생물에 상관없이 그 각각이 자신만의 몸으로 존재하는 한에서 그 모든 것은 자신에 앞서서 존재하는 무한한 몸에 의해서 영원의 필연성으로 존재하도록 결정되었습니다. 이러한 진리의 필연성에서 보면 우리 인간은 자연의 모든 것과 다를 바가 없습니다. "자연의 모든 것은 영원무한의 생명과 사랑 안에 함께 존재한다."라고 말한 이유입니다. 그러나 그들은 이러한 논리적 맥락이 아닌 인간이 살아가는 현상을 보라고 합니다.

그러나 그러한 주장은 실질적으로 자포자기의 절망상태에 불과합니다. 왜냐하면 그들을 포함해서 우리 가운데 그 누구도 인간과 동물이 하등 다를 바가 없다는 주장에 대해서 기쁨을 느끼지 않기 때문입니다. 자연 안에서 모든 것은 단 하나의 실체로서 영원무한의 생명과 사랑 안에서 영원무한의 생명과 사랑으로 생겨났다는 사실로부터 절대적으로 동일합니다. 그러나 이 사실을 학문으로 연마하며 이해하는 존재는 오직 자연 안에서 인간뿐입니다. 그렇기 때문에 일례로 개미나 꿀벌을 연구함으로써 인간의 본성과 행복을 가르치려드는 일부 자연과학자들의 생각은 터무니없는 자기무지의 소치일 뿐입니다. 그들은 자신의 주장으로 인해 인간의 진실이 철저히 부정되고 있다는 것을 전혀 모르고 있습니다.

인간의 본성과 행복을 이해하기 위해서 인간 이외 자연의 동물을 연구하는 것은 정말 심각한 학문의 변질이자 왜곡입니다. '인간'을 이해하기 위해서는 '인간'을 이해하는 것이 논리적으로 맞습니다. 그리고 이때에는 인간의 현상을 종합할 것이 아니라 인간의 진실을 밝힌 '인간(人)의 언어(文)'를 공부해야 합니다. 우리에게는 그 언어가 지금 공부하고 있는 성리학(性理學)입니다. 왜냐하면 성리학의 언어는 인간의 정신으로 하여금 인간의 몸에 고유한 본성의 필연성을 인식하도록 인도할 뿐만 아니라 이 인식에 근거하여 자연에 대한 참다운 인식이 무엇인지 분명하게 밝히기 때문입니다. 이 인식으로 자연과학을 탐구할 때, 자연에 대한 이해는 영원의 필연성으로 명백합니다.

주자는 성리학을 통해서 인간의 진실 및 자연 전체의 진실을 다음과 같이 정리합니다.

[4-3-1 『완역 성리대전』]

惟人也得其形氣之正,　是以其心最靈而有以通乎性命之全,　體於竝生之中,
又爲同類而最貴焉,　故曰'同胞',　則其視之也,　皆如己之兄弟矣.　物則得夫形氣
之偏,　而不能通乎性命之全,　故與我不同類,　而不若人之貴.　然原其體性之所自,
是亦本之天地,　而未嘗不同也,　故曰'吾與',　則其視之也,　亦如己之儕輩矣.

오직 사람만이 바른 형기(形氣)를 얻는데, 이 때문에 그 마음은 가장
신령스러워서 성(性)과 명(命)의 온전함에 통함이 있고, 몸은 함께 생겨
나는 것들 속에서 또 같은 부류가 되면서도 가장 귀하기 때문에 '동포'
라고 하니, 그들을 보기를 다 자기의 형제처럼 여긴다. 만물은 치우친
형기를 얻어서 성(性)과 명(命)의 온전함에 통할 수 없기 때문에 나와 같
은 부류가 아니며, 사람만큼 귀하지는 않다. 그러나 그 몸과 성(性)이 유
래한 근원을 추구하면 이 또한 천지를 근본으로 하여 같지 않은 적이
없으므로 '나의 무리'라고 하니, 그것을 보기를 또한 자기와 같은 무리
로 여긴다.

매우 중요하기 때문에 하나씩 검토하도록 하겠습니다.

① 오직 사람만이 바른 형기(形氣)를 얻는데
: 여기에서 말한 '바른 형기'란 자연 만물 가운데 오직 인간의 마음
만이 물자체를 향한 인식을 추구함으로써 그에 대한 이해를 명석판명하
게 형성한다는 사실을 뜻합니다.

② 이 때문에 그 마음은 가장 신령스러워서 성(性)과 명(命)의 온전
함에 통함이 있고
: 위의 사실로부터 인간의 마음은 자기 몸에 대한 인식을 영원의 필

연성으로 인식합니다. "성(性)과 명(命)의 온전함에 통함이 있고"라고 말한 이유입니다. 마음은 자기 몸의 본성(性)을 감각적 현상이 아닌 영원의 필연성(命)으로 이해합니다. 이 이해로부터 인간의 마음은 자연의 모든 몸을 자기 몸에 대한 이해와 동일한 방식으로 형성합니다.

③ 몸은 함께 생겨나는 것들 속에서 또 같은 부류가 되면서도 가장 귀하기 때문에 '동포'라고 하니

: 인간의 마음은 인간의 몸 안에 존재합니다. 오직 이 이유로 인간의 몸은 거룩하고 소중한 것입니다. 자연을 구성하는 만물의 몸이 소중하지 않다는 뜻이 절대 아닙니다. 자연 안에 모든 몸은 성스러움 그 자체입니다. 영원무한의 생명과 사랑 안에서 생겨나서 존재합니다. 그러나 이 사실을 이해하는 것은 자연 안에 오직 인간의 마음입니다. 성스러운 인간의 마음은 인간 자신의 몸으로 살아갑니다. 오직 이 이유로 인간의 몸이 성스럽습니다.

④ 만물은 치우친 형기를 얻어서 성(性)과 명(命)의 온전함에 통할 수 없기 때문에 나와 같은 부류가 아니며, 사람만큼 귀하지는 않다.

: 이 대목은 인간 스스로 인간을 성스러운 존재로 이해해야 한다는 사실을 거듭 확인합니다. 인간 자신과 자연의 모든 것을 영원무한의 생명과 사랑 안에서 영원의 필연성으로 이해하는 거룩한 존재는 오직 인간입니다. 인간은 이렇게 성스러운 인간의 진실을 이해함으로써 인간답게 살아가야 합니다. 그렇기 때문에 만물이 치우친 형기를 얻었다는 것은 만물의 가치를 떨어뜨리는 것이 절대 아닙니다. 앞에서 언급한 바와 같이 만물 가운데 오직 인간만이 자연 자체의 진실로서 물자체를 인식합니다. 인간 이외 자연의 어떤 생물과 무생물도 물자체의 인식을 형성하지 않습니다. '치우친 형기'는 오직 이 사실에 근거하여 하는 말일 뿐

입니다. 따라서 "나와 같은 부류가 아니며"라고 말합니다. 자연과학을 연구한다면서 자연의 동식물에 고유한 기질에 대한 연구로 인간의 본성을 이해해서는 절대 안 된다는 것을 다시 확인할 수 있습니다.

⑤ 그러나 그 몸과 성(性)이 유래한 근원을 추구하면 이 또한 천지를 근본으로 하여 같지 않은 적이 없으므로 '나의 무리'라고 하니, 그것을 보기를 또한 자기와 같은 무리로 여긴다.

: 이 대목에서 인간과 자연의 만물이 본질에 관한 한 본래부터 일치한다는 사실을 확인할 수 있습니다. 따라서 이 문장 앞에서 이루어진 모든 논의는 인간과 자연을 가치적으로 구분하는 것이 아니라 인간은 오직 인간 자신에 대한 올바른 이해로 인간답게 살 수 있다는 진리의 필연성을 이성의 필연성으로 확인한 것입니다.

이상의 논의를 주자는 다음과 같이 간단하게 요약합니다.

[4-3-1-1 『완역 성리대전』]
朱子曰 ："通是一氣, 初無間隔. '民吾同胞, 物吾與也', 萬物雖皆天地所生, 而人獨得天地之正氣, 故人爲最靈. 故'民吾同胞', 物則亦我之儕輩. 孟子所謂'親親而仁民, 仁民而愛物', 其等差自然如此. 大抵即事親者以明事天."

주자가 말했다. "모두 한 기(氣)이니, 처음부터 틈이 없다. '백성은 나의 동포이고, 만물은 나의 무리이다.'는 것에서 만물은 비록 다 천지가 생성한 것이지만, 사람이 유독 천지의 정기를 얻었기 때문에 사람이 가장 신령스럽다. 그러므로 '백성은 나의 동포이고', 만물은 또한 나의 무리이다. 맹자가 '부모를 친애한 뒤에 백성을 사랑하며, 백성을 사랑한 뒤에 만물을 아낀다.'고 말한 것에서 그 등급이 자연히 이와 같다. 대개 부모를 섬기는 것으로 하늘을 섬기는 것을 밝혔다."

이와 같이 인간의 진실을 밝힐 때, 인간은 자연에 대한 참다운 인식을 형성할 수 있습니다.

[4-3-1-2 『완역 성리대전』]
問 : "「西銘」'理一分殊', 莫是'民吾同胞, 物吾與也'之意否?"
曰 : "民物固是分殊, 須是就民物中又各知得分殊. 不是伊川說破, 也難理會. 然看久, 自覺裏面有分別."

물었다. "「서명」에서 '리일분수(理一分殊)'는 '백성은 나의 동포이고, 만물은 나의 무리이다.'는 뜻입니까?"
(주자가) 대답했다. "백성과 만물은 진실로 분수(分殊)이니, 백성과 만물 속에서 또 각각 분수를 반드시 알아야 한다. 이천(伊川 : 程頤)이 말하지 않았다면 또한 알기가 어려웠을 것이다. 그러나 오랫동안 살펴보면 그 안에 분별이 있음을 스스로 알게 된다."

영원무한의 생명과 사랑 안에서 우리 자신과 자연을 이해하는 사람은 인간 상호간에 서로 다름 및 자연의 무한한 몸에 나아가 그 각각에 고유한 필연성을 이해합니다. 이 이해로부터 왜 서로 다른지 이해할 수 있게 되며, 서로 다름을 생명과 사랑 안에서 존중합니다. '리일'(理一)은 단 하나의 실체로서 영원무한의 생명과 사랑을 뜻하며, '분수'(分殊)는 단 하나의 실체 안에서 영원무한의 생명과 사랑이 무한한 방식으로 무한하게 생겨나 존재하고 있다는 사실을 뜻합니다. 그렇기 때문에 리일(理一)을 이해하는 사람은 인간 세상의 모든 사람

및 자연의 모든 몸에 나아가 분수(分殊)를 명백하게 배워서 이해합니다. 그 결과 자신의 마음을 오직 생명과 사랑만으로 확인합니다.

이 논리를 서산 진씨도 다음과 같이 확인합니다.

[4-3-1-4 『완역 성리대전』]
　西山眞氏曰 : "凡生於天壤之間者, 莫非天地之子, 而吾之同氣者也. 是之謂理一. 然親者吾之同體, 民者吾之同類, 而物則異類矣. 是之謂分殊. 以其理一, 故仁愛之施無不徧; 以其分殊, 故仁愛之施則有差."

　서산 진씨(西山眞氏 : 眞德秀)가 말했다. "하늘과 땅 사이에서 태어난 것은 천지의 자식이어서 나와 기(氣)가 같지 않은 것이 없다. 이것을 리일(理一)이라고 한다. 그러나 부모는 나와 몸이 같고, 백성은 나와 부류가 같지만, 만물은 부류가 다르다. 이것을 분수(分殊)라고 한다. 리일(理一)이기 때문에 사랑[仁愛]이 두루 펼쳐지지 않음이 없고, 분수(分殊)이기 때문에 사랑[仁愛]을 펼치는 것에는 차이가 있다."

우리가 우리 자신의 몸에 나아가 물자체의 인식을 확인하면, 우리 자신은 영원무한의 생명과 사랑에 의해서 생겨난 영원무한의 생명과 사랑입니다. 이것을 "天地之子"(천지지자)라고 합니다. 예수는 이 사실을 '하늘에 계신 하나님 아버지'라고 말했습니다. 이것이 우리 스스로 우리 자신에 대해서 형성할 수 있는 최고의 완전성 그 자체의 이해입니다. 이 이해가 분명할 때, 인간의 마음은 생명과 사랑으로 자기 본래의 진실을 확인합니다. 서산 진씨는 "리일(理一)이기 때문에 사랑[仁愛]이 두루 펼쳐지지 않음이 없고, 분수(分殊)이기 때문에 사랑[仁愛]을 펼치는 것에는 차이가 있다."라고 말함으로써 이 진실을 밝혔습니다. 영원의 사랑 안에서 자신의 사랑을 실천합니다.

끝으로 정이천의 정리를 살펴보겠습니다. 지금까지 전개된 논의의 핵심이 요약되는 것을 확인할 수 있습니다. 이러한 측면에서 북송 시대 성리학자 정이천은 주돈이와 장재의 성리학을 남송 시대 주자의 성리학으로 전수하는 핵심적인 역할을 했다는 사실을 확인할 수 있습니다.

[4-3-1-5 『완역 성리대전』]

黃巖孫曰：“程子云'所以謂「萬物一體者」，皆有此理，只爲從那裏來．「生生之謂易」，生則一時生，皆完此理．人則能推，物則氣昏推不得．不可道他物不得有也．人只爲自私，將自家軀殼上頭起意，故看得道理小了他底．放這身來，都在萬物中一例看，大小大快活．'”

황암손이 말했다. "정자(程子 : 程顥·程頤)가 '「만물은 한 몸이다.」고 말하는 까닭은 다 이 리(理)가 있으니, 단지 그곳에서 나오기 때문이다. 「생겨나고 생겨나는 것을 역이라고 한다.」는 것에서 생겨남은 한때에 생겨나지만, 모두 이 리(理)를 완전하게 갖추고 있다. 사람은 미루어 알 수 있지만, 만물은 기가 어두워서 미루어 알 수 없다. 다른 것은 리(理)를 가질 수 없다고 말해서는 안 된다. 사람은 다만 스스로를 사사롭게 하기 때문에 자신의 몸을 먼저 생각하므로 도리를 보는 것이 다른 것을 작게 했다. 이 몸을 내려놓고, 모두 만물 가운데 한가지로 보면, 크거나 작거나 매우 분명하다.'고 말했다."

"사람은 미루어 알 수 있지만, 만물은 기가 어두워서 미루어 알 수 없다."라는 것은 오직 인간만이 자기 몸에 나아가 물자체의 인식을 형성한다는 사실을 뜻합니다. 그렇기 때문에 몸의 현상에 갇혀서 생각하고 그것으로 인간을 이해했다고 하면 앞에서 말한 자연과학자들의 오류에 빠지게 됩니다. "이 몸을 내려놓고, 모두 만물 가운데 한가지로 보면, 크거나 작거나 매우 분명하다."라고 말한 이유입니다. 몸을 내려놓으라는 것은 자기의 몸을 떠나라는 것이 아닙니다. 자기 몸의 현상에 대한 고정관념이나 자의적 해석을 내려놓으라는 뜻입니다. 자기스스로 자기이해 안에서 자기 몸의 진실을 명백하게 이해할 때, "만물은 한 몸이다."라는 말의 뜻을 이해할 수 있습니다. 본래 하나의 몸입니다.

4장. 大君者
대군자

: 감정과학의 정치학

【원문】

大君者, 吾父母宗子; 其大臣, 宗子之家相也.
대 군 자   오 부 모 종 자   기 대 신   종 자 지 가 상 야

尊高年, 所以長其長; 慈孤弱, 所以幼其幼.
존 고 년   소 이 장 기 장   자 고 약   소 이 유 기 유

聖其合德, 賢其秀也.
성 기 합 덕   현 기 수 야

凡天下疲癃殘疾惸獨鰥寡, 皆吾兄弟之顚連而無告者也.
범 천 하 피 룡 잔 질 경 독 환 과   개 오 형 제 지 전 련 이 무 고 자 야

【감정과학의 분석】

자연 자체의 진실을 이해함으로써 자신과 자연 전체가 본래 하나로 존재하고 있다는 사실을 이해하는 사람[大君]은 자기 본성의 필연성으로 존재하는 '영원무한의 생명과 사랑'[父母]을 이해하는 자식[宗子]이다. 이 자식은 자연 전체에 군림하는 것이 아니라 자연의 모든 것을 그 자체의 본성의 필연성으로 배우고 이해함으로써 그 모든 것을 영원무한의 생명과 사랑으로 존중하는 사람[大臣]이기 때문에, 이 사람은 '영원무한의 생명과 사랑'[父母]의 자식[大君]으로서 부모로부터 생겨난 모든 것을 생명과 사랑으로 이끌어 간다.

그리고 이 사람은 나이 많은 사람을 존중하는데[尊高年], 그 이유는 영원무한의 생명과 사랑 안에서 자신 보다 나이 많음을 존중하기 때문이다[所以長其長]. 이 사람은 또한 어린 고아와 연약한 아이들을 사랑으로 품에 안아 주는데[慈孤弱], 그 이유는 영원무한의 생명과 사랑 안에서 자신 보다 나이 어리거나 약한 사람을 존중하기 때문이다[所以幼其幼].

그렇기 때문에 자기 스스로 자기 진실을 이해하는 사람은 자기 존재의 성스러움을 이해한다[聖其合德]. 즉, '자신'과 '영원무한의 생명과 사랑'이 본래 하나라는 사실을 이해한다. 이 사실에 기초하여 모든 사람과 자연의 모든 것을 영원무한의 생명과 사랑으로 배워서 이해하는 것은 성스러움이 보다 더 큰 성스러움으로 이행하는 현명함이다[賢其秀也].

그러므로 이와 같은 방식으로 자기 진실 안에서 세상 모든 것의 진실을 이해하는 한에서, 자기는 세상의 모든 병든 이와 외로운 이[凡天下疲癃殘疾惸獨鰥寡]를 하소연할 곳을 전혀 갖지 못한 형제로 생각한다[皆吾兄弟之顚連而無告者也].

우리 자신이 자기 진실 및 자연 전체의 진실을 본성의 필연성으로 인식하는지 여부에 전혀 상관없이 우리 자신과 자연 전체는 본래부터 영원무한의 생명과 사랑 안에서 영원무한의 생명과 사랑으로 생겨났습니다. 이 사실은 절대적으로 변하지 않습니다. 마치 우리가 삼각형의 본성에 대해서 '네 개의 내각으로 구성되며 그 총합은 180

도'라고 아무리 생각하고 약속을 해도, '세 개의 내각으로 구성되며 그 총합은 180도'라는 삼각형 그 자체의 본성은 절대적으로 변하지 않는 것과 같습니다. 삼각형 자체의 본성도 자기 본성에 관하여 지금 자신의 본성과 다른 방식으로 변경하거나 생각할 수 없습니다. 그렇기 때문에 물자체의 본성은 영원의 필연성 안에서 최고의 완전성이며, 그러한 한에서 그 자체가 신적 본성의 완전성입니다.

그런데 우리는 눈앞에 있는 삼각형에 나아가 그 자체의 본성, 즉 신적 본성의 완전성을 명석판명하게 이해합니다. 우리가 경험하는 모든 삼각형은 세 개의 각으로 구성되어 있습니다. 그리고 그 총합은 기하학적 질서에 근거하여 절대적으로 180도입니다. 우리가 직선의 각도를 180도로 약속하는 한에서, 삼각형 밑변 위에 있는 꼭짓점을 지나는 직선을 그 밑변과 평행하게 그으면, 밑변 좌우에 있는 두 개의 각은 밑변과 평행하는 직선 중앙에 있는 꼭지각 좌우에 엇각으로 놓이게 됩니다. 그 결과 삼각형은 직선의 각과 동일하게 되며, 따라서 삼각형의 세 각은 총합이 180도라는 결론이 영원의 필연성으로 연역됩니다. 이것이 삼각형 그 자체의 본성, 즉 물자체 인식입니다. 우리는 이처럼 물자체 인식을 자연스럽게 형성합니다.

같은 방식으로 우리 자신의 몸을 비롯해서 자연의 모든 것을 이해할 수 있습니다. 지금 현재 우리 자신의 몸과 자연의 모든 몸이 존재한다는 것은 우리의 감각에 의해서 명백합니다. 그런데 원인과 결과의 필연성에 근거하여 보면, 지금 각자 자신의 몸으로 존재하는 모든 것은 자신에 앞선 몸에 의해서 존재하도록 결정되었습니다. 우리의 몸은 우리 존재에 앞선 부모의 몸에 의해서 생겨났습니다. 우리의 부모도 마찬가지입니다. 자연의 생물과 무생물도 절대적으로 이러한 논리적 순서에 의해서 생겨났습니다. 이로부터 우리 사유의 자기이해 안에서 최고의 완전성으로 명백한 진실은 그 어떤 것도 우연적으로 또는 가능적으로 생겨나지 않았다는 사실입니다. 이 사실에 기초하여 우리는 모든 몸에 고유한 필연성을 이해할 수 있습니다.

이 이해가 분명할 때, 우리는 우리 자신 및 함께 살아가는 사람들 그리고 자연의 모든 것의 생김에 대해서 절대적으로 그 존재를 부정할 수 없습니다. 생겨나서 존재하는 모든 것은 자기 존재에 관하여 영원무한의 필연성을 본성으로 갖기 때문에, 물자체 인식이 분명한 존재는 그 어떤 존재에 대해서도 그것의 존재를 부정하지 않습니다. 예를 들어서 어떤 존재를 두고 '이렇게 생겨난 것은 없으면 좋겠다.' 또는 '죽이겠다.' 등과 같은 생각을 전혀 하지 않습니다. 그와 정반대로 '이것은 왜 이렇게 생겨났지?' 또는 '나는 왜 이것을 죽이려고 하지?' 등과 같은 질문을 하며 존재하는 대상에 대해서 묻고 배워서 이해합니다. 우리가 이러한 방식으로 우리 자신 및 모든 것을 배우면, 절대적으로 생명과 사랑을 어기는 잘못을 하지 않습니다.

물자체 인식이 중요한 이유가 바로 여기에 있습니다. 오히려 인간으로서 반드시 배워서 이해해야 하는 것이 있다면, 사실상 물자체 인식 이외 절대적으로 없습니다. 왜냐하면 바로 앞 문단에서 논의하였듯이 문명의 행복은 오직 생명과 사랑 안에서 생명과 사랑을 나누는 것 이외 없기 때문입니다. 엄격히 말해서 물자체 교육은 '고급 교육'이 아니라 인간이면 반드시 연마해야 하는 '기본 교육'입니다. 이 교육이 학문의 진보를 가져옵니다. 왜냐하면 자연을 구성하는 무한한 몸에 대해서 감각적 현상이 아닌 그 자체의 본성을 영원의 필연성으로 인식할 때, 그때 비로소 우리는 대상에 대한 참다운 인식을 확보하기 때문입니다. 따라서 문명의 행복이 분명할 때 문명의 진보와 번영은 무한히 증대합니다.

문명의 행복과 번영 그리고 지속을 위한 방법이 물자체 인식에 있다면, 정치의 핵심은 모든 사람으로 하여금 물자체 인식을 깨닫도록 인도하는 것입니다. 여기에서 당연히 질문이 나와야 합니다. 어떻게 하면 모든 사람들이 물자체 인식을 배워서 이해할 수 있을까요? 이 지점에서 성리학의 감정과학은 매우 간단하고 쉬운 답을 알려줍니다. 그것은 바로 '우리 자신'입니다. 방법은 우리 밖에 있지 않습니다. 우리의 마음이 우리 자신의 몸에 나아가 물자체 인식을 형성하면, 우리는 영원무한의 생명과 사랑을 자기 본성의 필연성으로 인식합니다. 이 인식은 자연 전체에 대한 인식으로 확충됩니다. 따라서 오직 물자체 인식을 확인한 사람만이 다른 사람으로 하여금 물자체 인식을 이해할 수 있도록 인도합니다. 이것이 정치의 방법입니다.

주자도 다음과 같이 이 사실을 확인합니다.

[4-4-1 『완역 성리대전』]
乾父坤母, 而人生其中, 則凡天下之人皆天地之子矣. 然繼承天地, 統理人物, 則大君而已, 故爲父母之宗子. 輔佐大君, 綱紀衆事, 則大臣而已, 故爲宗子之家相.

건을 아버지라고 하고 곤을 어머니라고 하며, 사람은 그 속에서 생겨나니, 세상 사람들은 다 천지의 자식이다. 그러나 천지를 계승하고 사람과 만물을 통괄적으로 다스리는 사람은 대군일 뿐이기 때문에 부모의 종자가 된다. 대군을 보좌하고 뭇 일에 기강을 세우는 것은 대신일 뿐이므로 종자의 비서가 된다.

"세상 사람들은 다 천지의 자식이다."라고 했습니다. 우리 자신 및 자연의 모든 것은 천지의 자식으로 생겨났습니다. 이 사실은 절대적으로 변하지 않습니다. 삼각형의 본성이 영원으로부터 영원에 이르는 영원성으로 변하지 않는 것과 같은 이치입니다. 그런데 "그러나 천지를 계승하고 사람과 만물을 통괄적으로 다스리는 사람은 대군일 뿐이기 때문에 부모의 종자가 된다."라고 말했습니다. 여기에서 천지를 계승한다는 것은 무엇일까요? 영원무한의 생명과 사랑이 진실로 존재하며, 이 존재로부터 지금 자신과 자연의 모든 것이 생겨났다는 사실을 명명백백하게 이해하는 것입니다. 이 이해를 형성하는 사람이 "사람과 만물을 통괄적으로 다스리는 사람"입니다. 그 이유는 오직 이 사람만이 자연 전체에 나아가 모든 것이 영원무한의 생명과 사랑으로 생겨났다는 사실을 이해하기 때문입니다.

다스린다는 것은 군림하는 것이 아닙니다. 모든 것은 본래부터 영원무한의 생명과 사랑에 의해서 영원무한의 생명과 사랑으로 생겨났습니다. 모든 것을 이 사실에 입각하여 이해하는 것이 '다스림'입니다. 이 이해가 분명할 때, 자연의 모든 것을 순수지선으로 인식할 수 있습니다. 동시에 이 인식은 최고의 '효'(孝)입니다. 왜냐하면 영원무한의 생명과 사랑이 자신의 생명과 사랑으로 우리 자신을 낳을 때 그것은 절대적으로 자신의 본성인 영원무한의 생명과 사랑을 우리 자신에 고유한 본성으로 부여할 것이며, 이 사실로부터 우리가 우리 자신을 생명과 사랑으로 이해하는 것 이상으로 우리를 낳은 존재를 참답게 이해하는 것은 없기 때문입니다. 따라서 이러한 방식으로 모든 것을 이해할 때, 이 이해가 곧 최고의 '효'(孝)입니다.

이 진실에서 보면, 가장 급한 것은 '나' 자신과 더불어 살아가는 사람에 대한 올바른 인식입니다. 여기에는 두 가지 주요 논점이 있습니다. 첫째, '나'에게 가장 가까운 것은 나와 같은 부류인 인간입니다. 둘째, 오직 인간만이 물자체를 향한 인식을 배움으로써 이해하고, 그에 기초하여 자연 전체를 물자체로 이해합니다. 이 두 가지 사실에 입각하여 보면, 물자체 인식을 형성한 사람에게 가장 급한 것은 자신과 같은 부류인 사람으로 하여금 물자체 인식을 형성하도록 인도하는 것입니다. 그 결과는 무엇일까요? 사람은 생명과 사랑 안에서 문명을 형성할 수 있습니다. 사람이 모여 사람답게 사는 사람의 세상을 이룰 수 있습니다. 이 세상의 사람들이 오직 생명과 사랑 안에서 자연 전체를 배워서 이해합니다. 따라서 문명은 필연적으로 번영하며 최고의 행복을 누리게 됩니다.

사람에게는 사람이 가장 고귀합니다. 오직 사람만이 물자체 인식을 형성함으로써 자신과 자연 전체가 성스러움 그 자체라는 것을 이해합니다. 그래서 주자도 다음과 같이 말합니다.

[4-4-2-1『완역 성리대전』]
朱子曰：“許多人物生於天地之間, 同此一氣, 同此一性, 便是吾兄弟黨與. 大小等級之不同, 便是親疏遠近之分.”

주자가 말했다. “많은 사람과 만물이 천지 사이에서 생겨나는데, 이 기(氣)가 같고 이 성(性)이 같으니, 바로 나의 형제와 무리들이다. 크고 작은 등급이 같지 않으니, 바로 친근함과 소원함의 구분이다.”

사람이 가장 고귀하고 소중하다는 사실을 이해하는 사람은 사람을 감각적 현상으로 분류하지 않습니다. 사람을 '좋은 사람'과 '나쁜 사람'으로 판단하지 않습니다. 사람의 가치를 평가하지 않습니다. 오히려 어려움에 처한 사람을 먼저 돌봅니다. 그이가 어떻게 살아왔는지 추적하지 않습니다. 왜냐하면 사람은 사람 그 자체로 성스럽다는 사실을 이해하기 때문입니다. 오히려 우리가 이 사실을 배워서 이해하지 않은 결과 사람의 현상에 의존하여 사람의 좋음과 나쁨을 판단합니다. 이로부터 '나쁨'으로 간주된 사람들이 나쁜 행동을 하는 것은 당연합니다. 그렇기 때문에 사람의 영원의 진실을 외면하고, 좋음과 나쁨의 가치를 판단하면 사람은 서로를 적으로 간주합니다.

이 모든 문제를 바로 잡는 방법은 단 하나입니다. 사람의 가치를 논하거나 판단하기 이전에 사람 그 자체의 진실을 이해해야 합니다. 이 이해를 향한 학문이 감정과학이며, 이 학문의 **효용**을 인간 상호간에 사랑과 평화에서 찾는 한에서 감정과학은 정치학입니다. 감정과학의 정치는 사람이 사람 그 자체로 거룩하다는 사실을 이해하는 정치입니다. 그 결과 우리에게 친숙한 복지국가 개념이 등장하는데, 이것은 우리가 생각하는 복지국가 개념이 아닙니다.

지금 우리 시대의 복지국자는 부자(富者)에게 세금을 거두어 빈자(貧者)에게 돈을 분배하는 것입니다. 이 경우 부자와 빈자는 서로를 향해 분노하며 시기합니다. 부자는 빈자에게 자신의 소중한 돈을 강탈당했다고 생각하며, 빈자는 부자를 향해 고마움은커녕 시기와 질투로 가득합니다. 그러나 장재의 『서명』이 추구하는 감정과학의 정치학에 의하면 부자와 빈자는 영원무한의 생명과 사랑 안에서 본래 하나입니다. 생명과 사랑의 진실이 '부자'와 '빈자'라는 경제적 현상으로 드러날 뿐입니다. 이 진실이 우리 모두에게 분명할 때 부자와 빈자는 서로를 향한 사랑으로 가득합니다. 절대적으로 분노와 질투는 없습니다. 이렇게 사람들이 서로를 이해하며 사랑하도록 인도하는 것이 감정과학의 정치학입니다.

주자는 다음과 같이 말합니다.

[4-4-2-2 『완역 성리대전』]
"'凡天下疲癃殘疾惸獨鰥寡, 吾兄弟顚連而無告者也', 君子之爲政, 且要主張這一等人."

(주자가 말했다). "'세상의 병든 사람과 외로운 사람 등은 모두 내형제 가운데 가난하고 외로우면서도 하소연할 곳이 없는 사람들이다.'고 하였으니, 군자가 정치를 할 때에 우선 이러한 사람을 구제해야 한다는 것이다."

정치는 사람의 소중함을 이해함으로써 사람을 생명과 사랑으로 돌보는 것입니다. 사람의 소중함은 감각적 현상이나 어떠한 이용 가치에 의해서 결정되지 않습니다. 사람은 물자체에 대한 인식을 통해서 생명과 사랑으로 존재하며 오직 이 존재의 진실 안에서 세상과 자연을 사랑합니다. 사람이 성스러운 이유가 바로 여기에 있습니다. 사람의 성스러움에 기초하여 모든 사람이 감정과학을 연마함으로써 성스러움 그 자체로 존재하고 활동한다면, 어떤 세상이 우리를 기다리고 있을까요? 모든 사람이 생명과 사랑 안에서 모든 것을 생명과 사랑으로 배워서 이해합니다. 문명은 반드시 최고의 행복 안에서 최고의 완전성으로 무한히 발전하고 번영합니다.

5장. 于時保之
우 시 보 지

: 후험분석의 물자체

【원문】

"于時保之", 子之翼也; "樂"且"不憂", 純乎孝者也.
우 시 보 지　　자 지 익 야　　낙 차 불 우　　순 호 효 자 야

【감정과학의 분석】

몸으로 살아가는 모든 순간(時)을 영원무한의 생명과 사랑 안에서
이해하는 것은[于時保之] 영원무한의 생명과 사랑에 의해서 생겨난
'나' 자신이 부모를 공경하는 것이다[子之翼也]. 영원무한의 생명과
사랑 안에서 영원무한의 생명과 사랑으로 생겨나고 활동한다는 사실
을 즐거워하기 때문에 걱정 없이 사는 것은[樂且不憂] 영원무한의 생
명과 사랑으로 존재하는 자기 부모에게 효도하는 것이다[純乎孝者也].

'시'(時)는 몸으로 살아가는 공간과 시간입니다. 이것을 감정과학
은 '몸-놀이'라고 정의합니다. 그런데 몸은 자신이 처한 공간과 시간
을 살아가기(놀이하기) 이전에 생겨나야 합니다. 이것을 감정과학은
'몸-생김'이라고 정의합니다. '생김의 몸으로 놀이한다.'는 감정과학

의 공리(公理)는 여기에서 나옵니다. 이 지점에서 우리는 본서 제1장의 핵심 논점이 '선험분석'으로 존재하는 '물자체'(物自體) 인식임을 기억해야 합니다. 몸-생김에 고유한 본성은 몸의 감각적 현상에 의해서 이해되는 것이 아니라 몸이 자기 안에 본래부터 품고 있는 자기 존재에 고유한 본성의 필연성입니다. 이 본성이 '선험분석'입니다.

몸-생김의 진실은 선험분석입니다. 영원무한의 생명과 사랑입니다. 여기에 감정과학의 공리를 적용해 봅시다. 어떤 결론이 나올까요? 생김으로 놀이하기 때문에 생김의 진실을 우리가 영원무한의 생명과 사랑으로 이해하는 한에서 놀이의 진실 또한 지극히 당연하게도 영원무한의 생명과 사랑입니다. 생김에 고유한 진실로서 선험분석은 놀이에도 존재합니다. 그런데 놀이는 '후험'(後驗)입니다. 후험에 존재하는 선험분석을 감정과학은 '후험분석'으로 정의합니다. 이것은 감정과학의 공리에 근거하여 지극히 당연합니다. 이는 마치 우리가 삼각형의 본성[선험] 안에서 삼각형을 그리는 놀이[후험]를 자유롭게 하는 것과 같은 이치입니다.

선험분석의 진실로서 물자체의 인식이 분명한 사람은 물자체에 고유한 본성이 생명과 사랑의 영원무한이 후험분석에도 존재한다는 사실을 명백하게 이해합니다. 자신의 몸으로 살아가는 모든 공간과 시간이 본래부터 영원무한의 생명과 사랑 안에 존재한다는 사실을 알고 있습니다. 그렇기 때문에 이 사실로부터 몸으로 살아가는 '몸-놀이'는 몸이 처한 구체적인 공간과 시간에 의해서 결정되는 것이 아니라 그 모든 공간과 시간을 품고 있는 영원무한의 생명과 사랑에 의해서 결정됩니다. 이 말은 몸-놀이에 대한 올바른 인식이 무엇인지 설명합니다. 몸-놀이는 절대적으로 공간과 시간의 한계 안에서 감각적으로 지각되는 현상으로 이해될 수 없습니다. '몸-놀이'는 '몸-생김'과 동일하게 자기 본성의 필연성을 따릅니다.

이 사실을 이해할 때, 몸으로 살아가는 모든 순간(時)을 영원무한의 생명과 사랑 안에서 이해하는 것은 지극히 당연한 것입니다. 학문의 실천은 여기에 있습니다. 우리가 사유의 자명 안에서 우리 몸에 대한 이해를 물자체로 이해하는데 성공하면, 선험분석은 당연히 후험분석으로 존재한다는 사실을 진리의 필연성으로 연역하게 됩니다. 이 사실에 기초하여 우리는 삶의 모든 순간을 감각적 현상이 아닌 그 자체에 고유한 본성의 필연성으로 배워서 참답게 이해할 수 있습니다. 이 이해를 추구하고 형성하는 것이 학문의 진실입니다. 몸으로 살아가는 모든 순간을 그에 고유한 필연성으로 이해하는 것입니다. 사유의 자기이해 안에서 배움이 자기 본래의 기능을 합니다.

이제 우리는 논의를 보다 구체적으로 '감정'에 집중할 수 있습니다. 몸으로 살아간다는 것은 감정으로 살아간다는 것을 뜻합니다. '감정'에 대한 가장 기본 정의는 '몸의 순간 변화'입니다. 몸의 순간 변화가 감정이며, 마음은 그 변화에 대한 개념을 형성함으로써 몸의 순간 변화를 구체적인 감정으로 지각합니다. 예를 들어서 열심히 공부하는 중에 갑자기 배고픔을 느낄 수 있으며, 길을 걷는 중에 친한 친구를 만나면 반가움을 느낄 수 있습니다. 이처럼 몸의 순간 변화는 사실상 감정입니다. 그렇기 때문에 몸으로 생겨나 몸으로 살아가는 '몸-놀이'는 사실상 무한한 방식으로 무한한 몸의 순간 변화인 감정을 느끼는 것입니다.

그런데 우리 삶을 두고 생각해 보면, 감정 때문에 수많은 사건이 발생합니다. 좋은 일들도 많지만, 그에 비례하여, 아니면 그 이상으로 나쁜 일들도 많습니다. 아주 가까운 예를 들면, 분노로 인해서 수 많은 전쟁과 살인이 발생합니다. 우리는 이러한 수많은 사례를 종합한 다음 그것을 토대로 감정의 선악(善惡)을 판단합니다. 더 나아가 이러한 판단에 근거하여 감정 가운데 제거해야 하거나 억제해야 하는 감정이 있다고 주장하며, 심지어 그러한 목적을 위해서 갖가지 약물들을 만들어 내고 판매합니다. 이 일을 전문적으로 담당하는 사람이 현대 의학에서는 '정신 전문의'입니다. 이들로부터 약물을 처방받는 사람은 '정신병'에 걸린 환자입니다.

그러나 엄격히 말해서 정신병에 걸린 환자는 따로 있습니다. 감정의 현상이나 감정에서 비롯된 행동을 가지고 감정의 선악을 판단하는 것이 진짜 정신병입니다. 왜냐하면 정신의 진실은 자기이해의 자명 안에서 몸 그 자체의 진실을 이해하고, 이 이해로부터 몸으로 살아가는 몸-놀이로서 감정에 고유한 진실을 이해하는 것이기 때문입니다. 정신이 자기 본래의 기능을 잘 수행함으로써 몸의 생김과 놀이를 일관하는 진실인 영원무한의 생명과 사랑을 이해하면, 정신은 절대적으로 모든 감정을 순수지선으로 이해합니다. 이 이해에 근거하여 정신은 무한한 방식으로 무한히 새로운 감정을 순수지선 안에서 묻고 배움으로써 그 자체에 고유한 본성의 필연성을 이해합니다.

우리가 위와 같이 정신의 본질적 기능이 무엇인지 정확하게 파악하면, 감정의 겉모습이나 감정에 의해서 이루어진 행동의 현상에 의존함으로써 감정의 선악을 판단하는 것이 정신병임을 쉽게 이해할 수 있습니다. '병'에 대한 우리의 개념은 어떤 것이 자기에게 고유한 기능을 상실할 때입니다. 성리학의 감정과학에 의하면 정신(마음)의 참된 기능은 물자체 인식에 근거하여 감정 그 자체의 인식을 형성하는 것입니다. 이 인식으로 정신은 감정의 무한성을 영원의 필연성으로 배움으로써 감정의 순수지선을 무한히 확인합니다. 이 기능을 상실했다는 증거가 순수지선으로 존재하는 감정을 선악으로 구분하는 것입니다. 이 지점에서 우리는 정신병을 진단할 수 있습니다.

우리의 논의가 여기에 이르면 반드시 다음과 같은 질문을 해야 합니다.

순수지선의 감정으로 살아가는 인간이 도대체 무슨 이유로 전쟁과 살인 그리고 폭력 등 나쁜 생각을 하고 급기야 실행에 옮기는가?

이 물음에 대한 답은 의외로 매우 간단하며 쉽습니다. 정신(생각)의 본래적 기능은 자기이해의 자명(自明)에 근거하여 자기 몸의 진실을 영원무한의 생명과 사랑으로 확인하는 것이며 그에 기초하여 자연 전체의 진실을 생명과 사랑의 영원무한한 필연성으로 이해하는 것입니다. 이 이해가 분명할 때 정신은 모든 몸의 생김과 놀이를 생명과 사랑을 향한 믿음 안에서 무한한 방식으로 무한한 생김과 놀이 각각에 고유한 본성의 필연성을 명석판명하게 이해합니다. 정신의 본래적 기능이 이와 같기 때문에 좋은 선생들은 이구동성으로 '학문'과 이를 위한 '학교'를 강조합니다. 정신이 자기 본래의 기능에 충실하면 절대적으로 생명과 사랑을 어기는 나쁜 행동을 하지 않습니다.

영원으로부터 영원에 이르는 영원성으로 모든 몸은 순수지선 안에서 영원무한의 생명과 사랑으로 생겨납니다. 정신이 이 진실을 모르는 병에 걸리면, 나쁘게 생겨난 몸이 있다고 잘못 생각하게 됩니다. 이 생각으로부터 정신은 나쁜 것을 없애겠다는 의지력을 형성합니다. 그 결과 그것의 존재를 부정하려는 행동을 하게 됩니다. 감정에도 같은 논리가 적용됩니다. 감정은 영원의 필연성으로 생명과 사랑을 자기에게 고유한 본성으로 갖습니다. 그런데 감정의 원인을 자기 본성이 아닌 외부에 두면, 갑자기 감정은 외부 원인에 의해서 자신이 결정되었다는 착각에 빠지게 됩니다. 그 결과 외부 원인을 없애려는 인식의 오류에 의해서 잘못된 행동을 하게 됩니다.

지금 이 순간에도 감정으로 인한 많은 비극이 발생합니다. 그러나 엄격히 말해서 그에 대한 원인은 감정이 아니라 감정에 대한 잘못된 인식에 있습니다. 그리고 그에 대한 원인은 정신이 제 기능을 제대로 발휘하지 못한 정신병에 있습니다. 우리가 이와 같이 원인을 파악하면, 몸으로 살아가는 우리의 세상에서 발생하는 모든 비극의 원인을 감정에 두는 것은 정신병에서 기원합니다. 이 지점에서 우리는 두 가지 질문을 할 수 있습니다.

① 정신이 병에 걸리는 '원인'은 무엇인가?
② 정신병을 '치유'하는 방법은 무엇인가?

첫 번째 질문에 대한 답을 위해서 스피노자는 실체와 양태를 구분합니다. 실체는 우리 몸에 고유한 선험분석의 진실입니다. 이 진실이 분명하기 때문에 우리는 정신의 본래적 기능을 영원무한의 생명과 사랑을 향한 자기이해의 자명으로 정의할 수 있습니다. 그러나 우리는 실체 안에서 구체적인 양태로 생겨납니다. 이 양태는 당연히 실체 안에 있기 때문에 영원무한의 생명과 사랑을 자기 본성으로 갖습니다. 그러나 우리 모두를 비롯해서 자연의 모든 것은 이 진실 안에서 각자 자신만의 구체적인 몸으로 공간과 시간을 살아갑니다. 이 것이 양태입니다. 실체와 양태가 교차하는 것이 자연의 모든 몸이기 때문에 정신은 양태의 정신으로 존재합니다.

몸의 진실이 실체와 양태의 교차이기 때문에 정신의 진실 또한 실체와 양태의 교차입니다. 얼마든지 정신은 양태 안에서 생각할 수 있으며 더 나아가 그 생각으로 자연의 모든 양태를 생각할 수 있습니다. 이 지점에 정신은 모든 양태를 감각적 현상으로 생각하고 이해할 수 있습니다. 그러나 그 정신 안에는 실체의 정신도 있습니다. 그렇기 때문에 정신의 본래적 기능은 자기 안에 교차하는 실체의 정신과 양태의 정신을 확인하는 것입니다. 그런데 이 둘 사이의 논리적 순서는 당연히 실체 안에서 양태, 즉 실체의 정신 안에서 양태의 정신입니다. 이 둘이 정신 안에 교차하기 때문에 정신의 본래적 기능은 당연히 이 둘의 교차를 확인하는 것입니다.

이 교차를 확인하지 못하게 될 때, 정신에 병이 발생합니다. 이러한 맥락에서 보면, 정신병의 원인은 정신 외부에 있는 것이 아닙니다. 정신 안에 실체의 정신과 양태의 정신이 교차하기 때문에 얼마든지 정신은 양태의 정신만으로 자신을 생각하고 이해할 수 있습니다. 이렇게 정신병의 원인을 파악하면, 우리는 쉽고 즐겁게 정신병의 원인을 제거할 수 있습니다. 정신 안에는 본래부터 영원의 필연성으로 실체의 정신과 양태의 정신이 교차하고 있기 때문에 정신은 얼마든지 자기 안에 있는 교차 논리에 근거하여 자신의 병을 쉽게 치유할 수 있습니다. 정신이 병에 걸려도 정신의 본래 기능은 절대 사라지지 않습니다. 학교와 스승의 성스러운 역할은 여기에 있습니다.

앞에서 제기한 질문에 대한 답으로 장재는 『서명』에서 다음과 같이 말합니다.

"樂"且"不憂", 純乎孝者也.
낙 차 불 우 순 호 효 자 야

영원무한의 생명과 사랑 안에서 영원무한의 생명과 사랑으로 생겨나고 활동한다는 사실을 즐거워하기 때문에 걱정 없이 사는 것은 영원무한의 생명과 사랑으로 존재하는 자기 부모에게 효도하는 것이다.

사실 우리는 정신병을 걱정할 필요가 전혀 없습니다. 왜냐하면 정신 스스로 자신의 병을 치유할 수 있는 방법을 가지고 있기 때문입니다. 조금 전에 언급한 '실체 정신과 양태 정신'의 교차가 그것입니다. 이것은 선험분석이 후험분석으로 존재하고 있다는 사실로부터 지극히 당연한 것입니다. 영원무한의 생명과 사랑으로 존재하는 엄마 아빠가 몸으로 살아가는 '나'의 공간과 시간 속에 여전히 나와 함께 존재하기 때문에 '나'는 인식의 오류 안에서도 얼마든지 '나' 자신을 구원할 수 있습니다. 뿐만 아니라 최고의 완전성으로 축복을 누릴 수 있습니다. 이 사실을 우리가 깨닫고 나면, 사실상 정신병 같은 것은 본래 없다는 것을 알 수 있습니다. 이것이 최고의 효도입니다.

이 사실을 주자도 다음과 같이 확인합니다.

[4-5-1 『완역 성리대전』]
畏天以自保者, 猶其敬親之至也; 樂天而不憂者, 猶其愛親之純也.

하늘을 두려워하여 스스로 보존하는 것은 지극히 부모를 공경하는 것과 같고, 천도를 즐거워하고 근심하지 않는 것은 순수하게 부모를 사랑하는 것과 같다.

하늘을 두려워한다는 것은 공포심이 아니라 어길 수 없는 진리에 대한 확고부동의 믿음입니다. '선험분석'이 '후험분석'으로 존재하기 때문에 삶의 모든 순간을 우리는 생명과 사랑 안에서 생명과 사랑을 이해하고 오직 생명과 사랑만으로 살아가야 합니다. 여기에는 그 어떤 변명이나 타협이 없습니다. 이 진실이 우리 안에 분명할 때, 우리는 우리 자신을 비롯해서 세상 모든 사람에게 너그러울 수 있습니다. 어떤 잘못을 향해 돌을 던지는 것이 아니라 생명과 사랑으로 품에 안아줍니다. 그리고 함께 배워서 함께 순수지선의 축복을 누립니다. 우리가 이와 같은 방식으로 배우며 용서하는 삶을 살아갈 때, 그 삶이 진리를 섬기는 최고의 '효'(孝)입니다.

그러므로 몸으로 살아가는 몸-놀이의 진실은 어떤 행동을 강제하거나 강요하는 것이 아니라 삶의 모든 순간을 생명과 사랑 안에서 배우는 것입니다. 주자도 이러한 배움의 진실을 확인합니다.

[4-5-1-2 『완역 성리대전』]
曰 : "若言'同胞吾與'了, 便說著'博施濟衆', 却不是. 所以只教人做工夫處, 只在敬與恐懼. 故曰'「于時保之」, 子之翼也.' 能常敬而恐懼, 則這簡道理自在."

(주자가) 대답했다. "만약 '동포와 내 무리'를 말했다고 해서 바로 '널리 베풀어 구제함이 많다.'는 것이라고 말한다면 옳지 않다. 따라서 다만 사람들에게 공부를 하게 하는 곳은 단지 공경함과 두려워함에 있을 뿐이다. 그러므로 '「이에 보존한다.」는 것은 자식이 공경한다는 것이

다.'고 했다. 항상 공경하고 두려워할 수 있으면 이 도리가 (그 속에) 저절로 있을 것이다."

"사람들에게 공부를 하게 하는 곳은 단지 공경함과 두려워함에 있을 뿐이다."라고 했습니다. 몸으로 살아가는 몸-놀이에는 엄격히 말해서 어떤 수준이나 경지를 향한 목적이 없습니다. 오직 진리를 향한 지적인 사랑만이 있습니다. 영원으로부터 영원에 이르는 영원성 안에서 몸-놀이는 생명과 사랑으로 결정되어 있기 때문에, 나쁜 것이 있다는 생각을 할 때 인간의 정신은 그에 나아가 그에 고유한 본성의 필연성을 인식함으로써 나쁜 것이라고 생각한 것을 생명과 사랑 안에서 사랑으로 이해하는 것입니다. "항상 공경하고 두려워할 수 있으면 이 도리가 (그 속에) 저절로 있을 것이다."라고 말한 이유입니다.

6장. 違曰悖德
위 왈 패 덕

: 자기 본성의 필연성을 따르는 자유

【원문】

違曰悖德, 害仁曰賊, 濟惡者"不才", 其"踐形"惟肖者也.
위왈패덕 해인왈적 제악자 부재 기 천형 유초자야

【감정과학의 분석】

자기 본성의 필연성인 영원무한의 생명과 사랑을 어기는 것이 덕
을 파괴하는 것이며[違曰悖德], 그로 인해 자신과 자연 전체가 본래
하나의 몸이라는 사실을 부정하는 것이 자기 스스로 자기 생명을 죽
이는 것이다[害仁曰賊]. 세상에 나쁜 것이 있다고 생각하는 것은[濟惡
者] 자기 정신에 고유한 본래적 기능을 연마하지 않는 것이며[不才],
자기 생김의 진실인 영원무한의 생명과 사랑으로 살아가는 것이[其踐
形] 오직 영원무한의 생명과 사랑의 부모의 자식으로 살아가는 것이
다[惟肖者也].

'덕'(德)은 자기 본래의 진실인 영원무한의 생명과 사랑입니다. 몸
의 진실입니다. 이 진실을 이해하는 마음도 당연히 '덕'(德)입니다.

영원무한은 단 하나이기 때문에 그렇습니다. 몸과 마음은 서로 다른 것이지만 본래 하나입니다. 본래 하나인 몸과 마음에 나아가 그 가운데 마음을 특히 강조하는 이유는 오직 마음만이 자기 사유의 자명(自明) 안에서 자기 몸의 진실을 이해하기 때문입니다. 이때 비로소 마음은 자기 몸의 진실 안에서 자기 몸의 진실대로 살아갑니다. 동시에 자연의 모든 몸을 자기 몸의 진실에 대한 이해와 동일한 방식으로 이해합니다. 우리가 이렇게 우리 자신과 자연 전체에 대한 이해로 살아가는 한에서 우리는 절대적으로 생명과 사랑을 어기지 않습니다. 이 진실을 어기는 것이 '패덕'(悖德)입니다.

'인'(仁)은 종종 인간다움, 어짊, 따뜻함 등으로 번역되지만, 성리학의 감정과학에 의하면 이 개념은 인간 몸에 고유한 물자체의 진실입니다. 동시에 자연의 모든 몸에 고유한 물자체 진실입니다. 몸으로 존재하는 모든 것은 자기 존재에 관하여 필연성을 본성으로 갖기 때문에 그 어떤 몸도 불완전을 본성으로 갖지 않습니다. 여기에 생명이 있습니다. 우리 자신의 몸을 비롯해서 자연의 모든 몸은 생명의 몸입니다. 무생물도 생명의 몸입니다. 왜냐하면 자기 존재에 앞선 무생물의 몸에 의해서 생겨나도록 결정된 것이기 때문입니다. 생겨난 것은 모두 생명으로 존재합니다. 이러한 인과의 원칙 안에 모든 것은 영원의 필연성으로 존재하므로 오직 이 사실로부터 자연은 영원무한의 생명과 사랑 안에 영원의 필연성으로 존재합니다. 이 진실이 '성리'(性理)입니다.

성리(性理)의 진실에서 보면, 모든 몸은 본래 하나입니다. 눈으로 보고 손으로 만져보는 몸은 모두 다릅니다. 또한 생로병사의 변화를 겪습니다. 심지어 어느 한 몸이 자신과 다른 몸의 생명을 부정하기도 합니다. 그러나 자연 그 자체의 진실인 성리 안에서 자연을 구성하는 모든 몸을 보면, 무한한 방식으로 무한하게 서로 다른 몸은 영원 안에서 본래 하나의 몸으로 존재합니다. 자연 그 자체의 본성에서 보면 모든 몸은 영원의 순수지선으로 존재합니다. 좋거나 나쁜 몸은 없습니다. 순수지선은 줄어들거나 늘어나지도 않습니다. 본래부터 단 하나의 몸이 영원무한의 생명과 사랑으로 존재하며, 그 안에서 무한한 몸이 무한한 방식으로 생명과 사랑으로 생겨납니다.

정신이 자기 본래의 기능에 충실함으로써 자기 몸의 덕(德)과 교차하면, 정신은 자신과 자연 전체를 영원무한의 생명과 사랑으로 이해합니다. 이 이해가 성스러움을 뜻하는 성(聖)입니다. 그러나 정신이 자기 기능에 충실하지 않게 됨으로써 자기 몸의 진실에 대해서 생각하지 않고 배우지 않게 되면, 끝내 정신은 자기 몸으로 확인하는 자기의 진실 및 자연 전체의 진실에 대해서 어둡게 됩니다. 이것을 생각하지 않고 배우지 않는 '불사불학'(不思不學)의 비극이라 부릅니다. 정신은 자신의 몸이 자연의 몸과 본래 하나로 존재하고 있다는 사실을 알 수 없게 됩니다. 그로 인해 정신도 자신의 본질이 영원무한의 생명과 사랑만을 순수지선 안에서 생각하는 자연의 정신과 본래 하나라는 사실을 알 수 없게 됩니다. 이 비극이 '해인'(害仁)입니다.

정신 스스로 자기 본래의 기능을 상실하게 됨으로써 자기 몸의 진실인 영원무한의 생명과 사랑을 어기면[悖德], 그 즉시 자기 몸이 자연 전체와 본래부터 영원의 필연성 안에서 하나의 몸으로 존재하고 있다는 사실을 부정하게 됩니다[害仁]. 이로부터 정신은 전쟁 정신에 몰입하게 됩니다. 자연 안에 불선(不善)이나 악(惡)으로 생겨난 몸이 있다는 거대한 착각에 빠집니다. 이 착각으로부터 정신은 불선이나 악의 존재를 부정하려고 합니다. 이는 실질적으로 존재를 파괴하는 행위인 전쟁과 살인으로 전개됩니다. 그러나 이 모든 비극은 근본적으로 자기 스스로 자기 본래의 생명을 부정했기 때문에 발생합니다. 이 비극이 '자살'입니다.

자살은 자기 생명을 자기 스스로 부정하는 것인데, 엄격히 말해서 자살은 해인(害仁)입니다. 자기 생명의 진실은 자연의 모든 몸과 본래 하나인 영원무한의 생명과 사랑입니다. 이 사실을 배우지 않아 이해할 수 없게 됨으로써 자기 몸의 진실을 부정하는 것이 자살입니다. 그렇기 때문에 자살은 엄격히 말해서 행위 이전에 자기 인식의 부재 또는 오류입니다. 이 '자살'로 인하여 자기는 영원의 필연성으로 누리도록 결정된 최고의 행복을 상실하게 됩니다. 자기 안에 이미 최고의 행복이 있음에도 불구하고 자기가 자기 본래의 행복을 외면하고 밖에서 행복을 구걸하게 되는 비참한 지경에 처합니다. 이러한 비참한 지경에 처했을 때, 자기 스스로를 구원하지 못하면 끝내 자기 스스로 자기 생명을 끊는 자살을 실행에 옮기게 됩니다. 자기 인식의 오류가 자기 스스로 자기 생명을 부정하는 자살을 실행하게 합니다.

정신의 자살이 자기 신체를 자살로 끌고 간다는 것을 우리가 이해하면, 정말 중요한 것은 정신 스스로 자기 본래의 기능을 이해함으로써 그 기능대로 살아가는 것입니다. 즉, 물자체의 인식을 자기 몸에 나아가 확인함으로써 자연 전체의 진실을 이해해야 합니다. 이 이해에 근거하여 매순간 무한히 변화하는 자기 몸을 비롯해서 자연의 모든 몸을 물자체 안에서 배워야 합니다. 그 결과 모든 몸의 생김과 놀이가 영원의 필연성으로 순수지선 안에 있다는 사실을 깨달게 됩니다. 이 깨달음을 확보한 정신은 모든 존재의 생김과 변화를 절대적인 완전성으로 이해하기 때문에 절대적으로 생명과 사랑을 어기지 않습니다. 자연을 구성하는 모든 것을 생명과 사랑으로 존경합니다.

우리 스스로 우리 자신을 구원하는 방법을 위와 같이 확인하면, 자연 안에 '나쁜(惡) 것'은 절대적으로 존재하지 않는다는 확고부동한 믿음을 형성하게 됩니다. 물론 우리는 얼마든지 실체의 양태로서 공간과 시간을 살아갑니다. 이로부터 우리는 얼마든지 자연 안에 나쁜 것이 있다는 생각을 할 수 있습니다. 양태들 상호 간에는 얼마든지 서로를 제한할 수 있습니다. 심지어 우리 스스로 자신을 나쁜 것으로 생각할 수 있습니다. 자기가 자기를 제한합니다. 그러나 앞에서 논의한 바와 같이 실체의 정신과 양태의 정신은 자연의 모든 몸에 고유한 정신의 진실이며, 이 가운데 오직 인간의 정신만이 이 두 가지 정신의 교차 및 이 둘 사이에 놓인 논리적 선후 관계를 분명하게 이해합니다.

이 이해를 형성할 수 있는 정신의 능력이 확실하기 때문에 인간의 정신이 자연 안에 나쁜 것이 있다고 생각하고 있다면, 그것은 인간 정신이 자기 본래의 능력을 충분히 발휘하지 못하고 있다는 것을 반증합니다. 장재는 이것을 '부재'(不才)라고 부릅니다. 이와 반대로 인간의 정신이 자기 본래의 기능에 입각하여 자기 몸을 비롯해서 자연의 모든 몸을 영원무한의 생명과 사랑으로 이해할 때, 즉 모든 몸의 생김과 변화를 감각적 현상이 아닌 그 자체에 고유한 본성의 필연성으로 인식할 때, 이때 비로소 정신은 영원무한의 생명과 사랑으로 존재하는 '건곤 부모'(乾坤父母)의 자식으로 살아가는 축복을 누리게 됩니다. 이 축복이 '천형'(踐形) 또는 '초자'(肖者)입니다.

주자도 지금까지 전개된 논의와 같은 방식으로 우리가 정리한 개념어들을 설명합니다.

[4-6-1 『완역 성리대전』]

不循天理而循人欲者, 不愛其親而愛他人也, 故謂之悖德. 戕滅天理自絶本根者, 賊殺其親大逆無道也, 故謂之賊. 長惡不悛不可敎訓者, 世濟其凶增其惡名也, 故謂之'不才.' 若夫盡人之性而有以充人之形, 則與天地相似而不違矣, 故謂之肖.

천리를 따르지 않고 인욕을 따르는 자는 그 부모를 사랑하지 않고 다른 사람을 사랑하므로 '덕을 어그러지게 한다.'고 한다. 천리를 손상시켜 없애고 스스로 근본을 끊는 자는 그 부모를 시해하여 크게 어긋나 도가 없으므로 적(賊)이라고 한다. 오랫동안 악을 저지르고도 고치려하지 않아 가르칠 수 없는 자는 대대로 그 흉함을 이루어나가 그 나쁜 이름을 더하므로 '못된 자식이다.'고 한다. 그런데 사람의 성(性)을 다 구현하여 사람의 모습을 채우면 천지와 서로 비슷하여 위배하지 않으므로 닮았다고 한다.

"천리"는 자기 몸에 고유한 본성의 필연성입니다. 그렇기 때문에 "천리를 따르지 않고 인욕을 따르는 자"는 욕망을 부정하는 것이 아니라 '욕망의 이성'을 강조하는 것입니다. 욕망은 본질적으로 천리를 따르도록 결정되어 있습니다. 욕망 스스로 자신의 본성을 이해하면, 이 사실은 지극히 당연한 것입니다. 자기에게 고유한 본성의 필연성을 따라서 살아가는 자유가 최고의 행복입니다. 욕망은 행복을 추구하는 것이므로 욕망은 당연히 자기 몸에 고유한 본성의 필연성을 따라서 살기를 욕망합니다. 그런데 욕망에 내재된 자기 본성의 필연성은 영원무한의 생명과 사랑으로 존재하는 단 하나의 실체[신]로서 내 몸의 생김에 고유한 엄마아빠의 진실입니다. 그렇기 때문에 욕망에게 가장 큰 행복은 부모를 사랑하는 것입니다. 이 사랑은 자기이해의 자명으로 자기 몸의 진실을 이해하는 것이므로 '신을 향한 지적인 사랑'입니다.

욕망이 이 사랑을 자기 스스로 어기는 결정을 한다면, 이는 앞에서 논의한 바와 같이 자기 스스로 자기의 생명을 죽이는 자살과 본질적으로 다를 바가 없습니다. 이 '자살'의 비극을 "천리를 손상시켜 없애고 스스로 근본을 끊는 자는 그 부모를 시해하여 크게 어긋나 도가 없으므로 적(賊)이라고 한다."라고 하였습니다. 눈에 보이는 부모를 죽이는 것도 큰 죄이지만, 자기 몸에 영원의 필연성으로 존재하는 부모를 부정하는 것은 더 큰 죄입니다. 왜냐하면 자기 몸에 고유한 본성으로서 부모의 생명과 사랑을 이해할 때, 눈에 보이는 부모에 대한 원망이나 분노를 자기 스스로 치유할 수 있기 때문입니다. 영원한 진실로 존재하는 부모를 이해할 때, 경험하는 부모의 곡절에 대해서 배워서 이해할 수 있습니다.

자기 스스로 자기 존재에 고유한 영원의 진실을 이해할 때, 자기는 자기 존재의 생김과 활동을 최고의 완전성으로 이해할 수 있습니다. 이 이해는 동시에 자연 전체에 대한 이해로 확충됩니다. 우리 인간이 이렇게 자기이해의 진리 안에서 문명을 이루고 살 때, 인간은 서로에게 따뜻한 사랑으로 관용을 베풀며 서로를 용서합니다. "사람의 성(性)을 다 구현하여 사람의 모습을 채우면 천지와 서로 비슷하여 위배하지 않으므로 닮았다고 한다."라고 말한 이유입니다. 그러나 이와 반대로 자기 진실을 모르게 되면, 그 즉시 서로에게 분노와 원망만을 일으킵니다. "오랫동안 악을 저지르고도 고치려하지 않아 가르칠 수 없는 자는 대대로 그 흉함을 이루어나가 그 나쁜 이름을 더하므로 '못된 자식이다.'고 한다."라고 말한 이유입니다.

그러므로 서산 진씨의 다음과 같은 결론은 지극히 당연한 것입니다.

[4-6-1-2 『완역 성리대전』]
西山眞氏曰 ： "天之予我以是理也, 莫非至善, 而我悖之, 即天之不才子也. 具人之形而能盡人之理, 即天之克肖子也."

서산 진씨(西山眞氏 ： 眞德秀)가 말했다. "하늘이 나에게 부여한 이 이치는 지극히 선하지 않음이 없으나, 내가 그것을 어그러지게 하면 하늘의 못된 자식이다. 사람의 모습을 갖추어 사람의 이치를 다 구현할 수 있다면 하늘의 잘 닮은 자식이다."

행복과 구원은 자기 밖에서 구하는 것이 절대 아닙니다. 자기가 자기를 이해하면, 자기는 이미 행복이며 구원을 받았습니다. 이 사실을 이해하는 사람은 결핍증에 시달리지 않기 때문에 최고의 축복을 누립니다. 이렇게 존재하는 인간이 자신과 더불어 살아가는 가족과 이웃 그리고 인류 및 자연 전체를 배울 때, 자신의 행복과 구원으로 온 우주를 행복과 구원으로 축복을 누리도록 인도합니다. 그렇지 않고 자기 스스로 자기 행복에 어둡게 된다면, 자기도 행복할 수 없거니와 오히려 세상 모두를 불행하게 합니다. 자기 안에 본래부터 존재하는 영원무한의 생명과 사랑을 모르는 것을 "하늘이 나에게 부여한 이 이치는 지극히 선하지 않음이 없으나, 내가 그것을 어그러지게 하면 하늘의 못된 자식이다."이라 합니다. 자기를 바로 이해하는 것이 학문의 기초입니다.

7장. 知化則
지 화 즉

: 다 좋은 세상

【원문】

"知化", 則善述其事; "窮神", 則善繼其志.
지 화   즉 선 술 기 사   궁 신   즉 선 계 기 지

【감정과학의 분석】

몸의 순간 변화를 그 자체에 고유한 본성의 필연성으로 이해하면 [知化], 몸의 순간 변화를 영원무한의 생명과 사랑으로 이해하게 된다[則善述其事]. 자기 스스로 자기 정신의 진실을 이해하면[窮神], 자기는 영원무한의 생명과 사랑으로 살게 된다[則善繼其志].

선험분석으로 존재하는 물자체(物自體)는 후험분석으로 존재합니다. 몸은 영원무한의 생명과 사랑 안에서 생명과 사랑으로 생겨났기 때문에 몸의 변화 또한 영원무한의 생명과 사랑 안에서 생명과 사랑으로 변화합니다. 몸의 모든 순간 변화가 단 하나의 예외 없이 이 진실 안에 존재합니다. 그렇기 때문에 몸의 변화에 대한 참다운 이해는 변화의 겉모습 같은 감각적 현상에 의존하는 것이 아닙니다.

그것이 자기 안에 품고 있는 본성의 필연성에 대해서 배워서 이해하는 것입니다. 그 결과는 반드시 생명과 사랑입니다. 왜냐하면 우리가 변화에 고유한 본성의 필연성을 영원성 그 자체로 인식하는 한에서 모든 변화는 절대적으로 순수지선 안에 있기 때문입니다.

　이렇게 자기 몸의 변화를 비롯해서 자연을 구성하는 모든 몸의 변화를 이해하는 것은 앞에서 충분히 논의하였듯이 인간 스스로 자기 정신에 고유한 기능에 충실한 것입니다. 이것이 궁신(窮神)입니다. 신(神)은 실체의 정신입니다. 영원무한의 생명과 사랑으로 존재하는 실체는 자기 몸과 정신에 고유한 본성 안에서 무한한 방식으로 무한한 몸과 정신을 산출합니다. 그렇기 때문에 당연히 실체에 의해서 산출된 모든 양태는 실체에 고유한 본성 안에서 활동합니다. 이러한 실체의 진실을 이해하는 것이 '궁신'입니다. 우리 정신 스스로 이 이해가 분명할 때 정신은 자신이 실체의 정신과 본래 하나라는 것을 이해합니다. 생명과 사랑 안에서 생명과 사랑으로 살아갑니다.

　주자도 이 사실을 다음과 같이 확인합니다.

[4-7-1 『완역 성리대전』]
"孝子, 善繼人之志, 善述人之事者也." 聖人知變化之道, 則所行者無非天地之事矣. 通神明之德, 則所存者無非天地之心矣. 此二者, 皆樂天踐形之事也.

"효자는 사람의 뜻을 잘 잇고, 사람의 일을 잘 따르는 사람이다." 성인은 변화의 도를 아니, 행하는 것이 천지의 일이 아님이 없다. 신명(神明)의 덕에 통하니 보존하는 것은 천지의 마음이 아님이 없다. 이 둘은 다 천도를 즐거워하고 제 모습을 실천하는 일이다.

"성인은 변화의 도를 아니, 행하는 것이 천지의 일이 아님이 없다."라고 말했습니다. 모든 변화가 단 하나의 예외 없이 본성의 필연성을 따른다는 뜻입니다. 그 어떤 변화도 우리의 정신이 이해할 수 없는 '우연'이나 '가능'으로 발생하지 않는다는 뜻입니다. 변화는 엄밀히 말해서 몸의 변화이기 때문에 우리가 몸에 고유한 본성을 영원의 필연성으로 인식하는 한에서 몸의 모든 변화는 당연히 영원의 필연성 안에 있습니다. 이 사실이 분명할 때 우리에게는 몸의 변화에 대해서 이해할 수 있다는 믿음을 형성하게 됩니다. 이 믿음으로 몸의 무한 변화에 나아가 그 각각에 고유한 본성을 영원의 필연성으로 인식할 수 있게 됩니다.

이 인식으로부터 우리는 자연의 모든 변화가 순수지선 안에 존재한다는 사실을 배워서 이해합니다. 이 사실을 주자는 "신명(神明)의 덕에 통하니 보존하는 것은 천지의 마음이 아님이 없다."라고 합니다. 앞에서 논의한 바와 같이 우리의 정신이 모든 변화를 영원의 필연성으로 인식하는 한에서 우리의 정신은 실체(神)의 정신과 본래부터 하나입니다. 우리가 모든 변화에 나아가 그 각각에 고유한 본성의 필연성을 인식할 때, 그 모든 인식의 순간이 사실은 실체가 자신에 대해서 이해하는 거룩하고 성스러운 순간입니다. 신의 존재가 우리 정신을 떠나서 별도로 존재하지 않습니다. 변화의 순간을 영원의 필연성으로 인식하는 그 순간이 신의 존재를 증명합니다.

위의 논의는 아래에 제시된 주자의 대답에 의해서 더욱 분명합니다.

[4-7-1-1 『완역 성리대전』]

問 : "'知化, 則善述其事. 窮神, 則善繼其志', 其旨如何?"

朱子曰 : "聖人之於天地, 如孝子之於父母. 化者, 天地之用一過而無迹者也. 知之, 則天地之用在我, 如子之述父事也. 神者, 天地之心常存而不測者也. 窮之, 則天地之心在我, 如子之繼父志也. 得其心, 而後可以語其用, 故曰'窮神知化.' 而『中庸』曰'致中和, 天地位焉, 萬物育焉', 亦此之謂歟."

물었다. "'변화를 알면 그 일을 잘 따르고, 신묘함을 궁구하면 그 뜻을 잘 잇는다.'고 했는데, 그 뜻은 무엇입니까?"

주자가 대답했다. "성인에게 천지는 효자에게 부모와 같다. 변화는 천지의 작용이 한 번 지나가서 흔적이 없는 것이다. 그것을 알아내면 <u>천지의 작용이 나에게 있으니</u>, 자식이 부모의 일을 따르는 것과 같다. 신묘함은 천지의 마음이 항상 보존되어 헤아릴 수 없는 것이다. 그것을 궁구해내면 <u>천지의 마음이 나에게 있으니</u>, 자식이 부모의 뜻을 잇는 것과 같다. 그 마음을 얻은 후에 그 작용을 말할 수 있기 때문에 '신묘함을 궁구하고 변화를 안다.'고 한다. 『중용』에서 '중화를 지극히 하면 천지가 제자리를 잡고 만물이 길러진다.'는 것 또한 이것을 말할 것이다."

중요한 부분을 밑줄로 강조하였습니다. 천지[실체]의 마음이 지금 나의 마음을 떠나서 별도로 존재하지 않습니다. 천지의 마음은 우리를 초월해서 존재하는 것이 아닙니다. 우리의 정신이 자기 몸의 순간 변화 및 자연의 순간 변화를 감각적 현상이 아닌 그 자체의 본성에 고유한 영원의 필연성으로 인식할 때, 그 순간이 곧 신의 존재가 증명되는 순간입니다. 우리의 정신이 곧 신의 정신입니다. 그런데 이렇게 말하면 지금 우리의 일상이 과연 신의 본성 안에 있는 성스러운 것인지 의심하기 쉽습니다. 앞에서 논의하였듯이 '몸의 변화'는 우리에게 감정으로 확인됩니다. 그렇기 때문에 사실상 몸의 변화인 감정에 대한 정신의 이해가 신의 '자기이해'입니다.

몸의 변화에는 배고픔이나 목마름 같은 기본적인 감정도 있습니다. 우리가 왜 배가 고픈지 왜 목이 마른지 이해하며 그 이해를 따라서 몸을 보살피면, 그것이 곧 신의 자기이해입니다. 왜냐하면 몸의 변화에 고유한 본성의 필연성을 정신 스스로 이해하기 때문입니다. 더 나아가 몸으로 살아가는 중에 몸과 몸이 교차함으로써 몸이 겪는 변화도 감정입니다. 가장 간단하게는 부모와 자식 사이의 감정도 있고 보다 크게는 한 사회와 한 나라 그리고 전 지구와 온 우주 안에서 느끼는 감정도 있습니다. 이 모든 감정도 몸의 순간 변화이기 때문에 우리의 정신이 그 각각에 고유한 본성을 이해하면 그것이 곧 신의 자기이해입니다.

주자도 다음과 같이 감정과학의 진리를 확인합니다.

[4-7-1-2 『완역 성리대전』]
"小而言之, '飢食渴飮, 出作入息'; 大而言之, 君臣便有義, 父子便有仁. 此都是述天地之事. 化底是氣, 故喚做天地之事. 神底是理, 故喚做天地之志. 窮神者, 窺見天地之志. 這箇無形無迹, 那化底却又都見得."

(주자가 말했다.) "작게 말하면 '배고플 때 먹고, 목마를 때 마시며, 해가 뜨면 나아가 일하고, 해가 지면 들어와 쉰다.'는 것이며, 크게 말하면 임금과 신하는 의리가 있고 부모와 자식은 사랑이 있다는 것이다. 이것은 모두 천지의 일을 잇는 것이다. 변화하는 것은 기(氣)이므로 천지의 일이라고 부른다. 신묘한 것은 리(理)이므로 천지의 뜻이라고 부른다. 신묘함을 궁구하는 것은 천지의 뜻을 살피는 것이다. 이것은 형체도 없고

흔적도 없으나, 그 변화하는 것에서 오히려 또 모두 볼 수 있다."

그러므로 몸으로 생겨나서 몸으로 살아가는 중에 일상 속에서 겪는 감정을 감각적 현상이 아닌 그 자체에 고유한 본성으로 이해하는 한에서 우리는 다음과 같은 성스러운 진리를 확인합니다. 신의 존재를 증명하는 것이 감정이며, 감정에 대한 이해가 곧 신이 자신을 이해하는 자기이해입니다. 이러한 단순한 감정의 일상이 정치 경제 사회 문화 같은 최고의 복잡한 감정으로 진행된다고 해도, 감정 그 자체의 진실은 몸의 순간 변화이기 때문에 절대적으로 영원무한의 생명과 사랑 안에 있습니다. 결국 일상으로부터 복잡다단한 사회와 국가에 이르기까지 감정에 대한 참다운 인식이 행복의 유일한 방법입니다. 이 인식이 '신의 자기이해'입니다. 지금 '나'의 인식을 떠나서 '신'이 존재하지 않습니다.

그러므로 인간과 문명의 진실은 본래부터 최고의 성스러움 속에서 '다좋은 세상'입니다.

8장. 不愧屋漏
불 괴 옥 루

: 자기이해의 자기사랑

【원문】

"不愧屋漏"爲"無添"; "存心養性"爲"匪懈."
불 괴 옥 루 위 무 첨   존 심 양 성 위 비 해

【감정과학의 분석】

몸으로 살아가는 자기의 현상이 아무리 비참하다고 하여도 몸 그 자체의 진실은 최고의 완전성 안에서 영원무한의 생명과 사랑이기 때문에 자기는 자기의 현상을 부끄럽게 여기지 않는다[不愧屋漏]. 그래서 자신을 스스로 부족하거나 불완전한 존재로 여기지 않는다[無添]. 오직 자기 본래의 정신에 고유한 기능을 보존함으로써 자기 몸의 진실을 몸의 순간 변화인 감정에 나아가 확인하기 때문에[存心養性] 자기는 자기 진실에 관하여 절대적으로 게으르지 않는다[匪懈].

인간의 진실은 최고의 완전성 안에서 최고의 아름다움으로 결정되어 있습니다. 인간은 영원무한의 생명과 사랑 안에서 생명과 사랑으로 생겨나서 활동하도록 영원의 필연성으로 결정되어 있습니다. 이

것은 자연 전체의 진실입니다. 이때 수많은 반론을 예상할 수 있는데, 이 가운데 가장 큰 비중을 차지하는 것은 경제와 직결되어 있습니다. 최근에 영화 '기생충'이 상영되었습니다. 반 지하 단칸방에 살아가는 사람이 과연 완전하고 아름답다고 말할 수 있을까요? 많은 비가 내리면 집은 물로 가득차서 외출복조차 없습니다. 과연 이런 삶이 생명과 사랑이라고 할 수 있을까요?

이 지점에서 우리 모두가 솔직해야 합니다. 우리 가운데 그 누구도 '기생충'에 등장하는 반 지하 가족의 삶을 행복으로 추구하지 않습니다. 그러나 다음의 두 문장을 반드시 비교할 필요는 있습니다.

① 반 지하 가족의 삶은 행복하지 않다.
② 반 지하 가족은 그럼에도 불구하고 자신의 행복을 지키고 보호할 수 있다.

①번 문장도 옳고, ②번 문장도 옳습니다. 우리는 절대적으로 반 지하의 삶에서 행복을 느낄 수 없습니다. 왜냐하면 우리가 지금까지 확인하였듯이 우리는 최고의 완전성 그 자체인 영원무한의 생명과 사랑으로 존재하는 신[실체]에 의해서 생겨나서 살아가도록 영원성으로 결정되어 있기 때문입니다. 무엇을 먹고 무엇을 입을지 걱정하는 삶 보다는 음식과 옷을 걱정하지 않고 사는 삶이 보다 더 큰 완전성이며 행복입니다. 그렇기 때문에 반 지하의 삶에서 우리는 절대적으로 행복을 누릴 수 없습니다. (이 대목에서 우리는 반드시 예수 선생님의 가르침, '그러므로 내가 너희에게 이르노니 목숨을 위하여 무엇을 먹을까 무엇을 마실까 몸을 위하여 무엇을 입을까 염려하지 말라 목숨이 음식보다 중하지 아니하며 몸이 의복보다 중하지 아니하냐'를 기억해야 합니다. ※번역은 대한성서공회 마태복음 6:22)

만약 우리의 현실이 영화 기생충처럼 반 지하의 가족이라면 어떻습니까? 우리는 절대적으로 우리 자신을 불행으로부터 구원할 수 없는 것일까요? 이 물음에 대한 답이 ②번 문장입니다. 우리는 절대적으로 반 지하의 삶에서 행복을 느낄 수 없지만, 그럼에도 불구하고 우리는 그러한 삶의 불행으로부터 우리 스스로를 구원할 수 있습니다. 더 나아가 최고의 완전성으로 최고의 행복을 누릴 수 있습니다. 문제는 방법입니다. 이 대목에서 칸트나 헤겔의 철학은 두 개의 눈을 가지라고 합니다. 처참한 현실을 직시하는 '현재의 눈'과 꿈과 희망으로 가득한 '미래의 눈'을 가지고 열심히 노력함으로써 이 둘 사이의 간극을 최대한 좁혀야 한다고 강조합니다. 그렇게 노력하면 언젠가 미래의 행복이 현재의 불행을 대체할 수 있다고 주장합니다. 이것이 그들이 말하는 행복의 방법입니다.

그런데 이 지점에서 우리는 자살하는 분들의 심정에 대해서 생각할 필요가 있습니다. 칸트와 헤겔이 강조한 두 개의 눈으로 열심히 살았음에도 불구하고 이 둘 사이의 간격이 줄어들기는커녕 처절한 현재와 꿈꾸는 미래 사이에 건널 수 없는 심연이 확인되면 어떻게 될까요? 이 경우 결국 남는 것은 처참할 정도로 초라한 자기 현재의 모습[현존]입니다. 이러한 비극에도 불구하고 자신의 모든 생각은 건널 수 없는 미래에 있습니다. 그러나 지금 자기는 절대적으로 현재에서 미래로 건너갈 수 없습니다. 이때 자기는 자신의 처참한 현재를 지워버리면 그것으로 미래를 향해 날아갈 수 있는 자유를 획득할 수 있다는 생각에 빠집니다. 자살의 원인이 바로 여기에 있습니다.

헤겔은 『정신현상학』에서 다음과 같이 말했습니다.

공동체가 갖는 부정의 힘은 안으로는 서로가 단순히 흐트러져 있는 개인의 자의를 억제하고 대외적으로는 자발적인 활동을 펴나가려고 하는 것인데, 개인은 이때 싸움을 위한 무기의 역할을 한다. 전쟁이란 인륜적 실체의 본질적 요소, 즉 인륜에 기초한 자기존재가 일신상의 모든 것을 내던지는 데서 누리는 절대의 자유가 현실 속에서 확연한 모습을 드러내는 정신의 형태이다.

- 『정신현상학2』(헤겔/임석진 옮김, 한길사, 2024, p.55)

중요 부분을 강조하기 위하여 밑줄을 그었습니다. "자기존재가 일신상의 모든 것을 내던지는 데서 누리는 절대의 자유"가 자살을 결심하는 분들의 심정입니다.

이에 대한 헤겔의 조언은 "일신상의 모든 것을 내던지"라는 것이다. 몸과 마음이 억눌려 더 이상 감당할 수 없으면, 몸을 내던지는 것만이 유일한 해결책이라는 뜻이다. 그 순간이 절대 자유를 누릴 수 있는 때라고 한다. 이것이 전쟁의 본질이라면, 여기에서 우리가 확인할 수 있는 것은 루소의 '자살'이다.

- 『전쟁에 대한 철학적 탐구』(성동권, 부크크, 2024, p.123)

루소는 자살을 다음과 같이 찬양합니다.

만일 우리의 삶이 영원하다면 아주 불행한 존재가 될 것이다. 죽는다는 것은 물론 고통스러운 일이다. 하지만 인간은 영원히 살지 못할 것이므로, 더 나은 삶이 이승의 삶의 고통을 끝내줄 것이라고 기대하는 것은 기분 좋은 일이다.

- 『에밀』(루소/ 김중현 옮김, 한길사, 2008, p.141.)

"더 나은 삶이 이승의 삶의 고통을 끝내줄 것이라고 기대하는 것은 기분 좋은 일이다."라고 말했습니다. 칸트와 헤겔의 모순을 지적합니다. 행복을 추구하기 위해서 최선을 노력을 다 했는데, 결국 우리가 도달하는 것은 자살입니다. 이것은 우리가 전혀 상상하지 못한 것입니다. 우리가 이러한 결론에 대해서 불행을 느낀다면 우리는 근본적인 성찰을 다시 해야 합니다. 칸트와 헤겔의 철학으로부터 우리 자신을 자유롭게 해야 합니다. 성리학의 감정과학이 우리에게 가르쳐주는 것에 집중해야 합니다.

성리학의 감정과학은 반 지하 같은 몸이 처한 현상에 대해서 생각을 잠시 멈춥니다. 우리는 분명 반 지하에 살고 있습니다. 이때 생각을 멈춘다는 것은 생각을 하지 않는다는 뜻이 아닙니다. 자신의 몸이 처한 반 지하에 대해서 생각을 잠시 멈추고, 그 현상 속에 있는 몸 그 자체에 대해서 생각을 집중하는 것입니다. 이 생각은 절대적으로 몸이 처한 현상에 눈을 감는 것이 아닙니다. '생각을 멈춘다.'고 했습니다. 그와 동시에 정신은 몸을 향해서 생각을 하며, 몸 그 자체의 진실에 대해서 자명하게 이해하게 됩니다. 이 이해가 분명할 때 정신은 자기 몸에 대한 이해를 몸이 처한 현상에 의존하지 않고 몸 그 자체의 진실에 입각하여 형성합니다.

이 이해로부터 다음과 같은 깨달음을 얻습니다.

몸으로 살아가는 자기의 현상이 아무리 비참하다고 하여도 몸 그 자체의 진실은 최고의 완전성 안에서 영원무한의 생명과 사랑이기 때문에 자기는 자기의 현상을 부끄럽게 여기지 않는다.

여기에서 우리는 절대 오해하면 안 됩니다. 반지하에서 살라는 뜻이 결코 아닙니다. 그것으로 행복을 느끼도록 강요하는 것이 아닙니다. 우리의 현실은 여전히 반지하의 불행 속에 있습니다. 그러나 그 현상 속에 있는 우리 몸의 진실을 이해하면, 우리는 몸이 처한 현상으로 우리를 불행으로 결정하는 것이 아니라 몸 그 자체의 진실로 우리를 행복으로 결정합니다. 그러나 우리가 이 둘 사이의 차이점을 간파하면, 엄밀히 말해서 이것은 우리에게 선택으로 주어진 것이 아닙니다. 왜냐하면 반지하에 처하는 것은 우리에게 우연성과 가능성이지만, 영원무한의 생명과 사랑은 우리에게 영원의 필연성이기 때문입니다.

우리 스스로 생각했을 때, 우리 자신이 반지하 같은 공간에 처할 이유가 전혀 없습니다. 그럼에도 불구하고 지금 우리가 처한 공간은 반지하입니다. 그로부터 고난의 시간을 보내고 있습니다. 그러나 우리 몸에 고유한 진실은 영원의 필연성 안에서 영원무한의 생명과 사랑입니다. 우리가 이 두 가지 분간을 하는데 성공하면, 어느 것이 우리 자신에 대해서 우리 자신이 형성할 수 있는 참다운 자기이해일까요? 정답은 당연히 우리 안에 있는 영원의 필연성입니다. 이에 대한 이해가 분명할 때, 우리는 우리 자신의 행복을 우리 밖에 있는 조건과 행복에 맡기지 않습니다. 우리 스스로 우리 자신의 행복을 최고의 완전성으로 누릴 수 있습니다.

이 행복이 우리에게 분명할 때, 우리는 마침내 우리가 처한 조건과 환경에 굴복되기 보다는 그 조건과 환경을 우리가 원하는 행복의 방향으로 끌어 갈 수 있습니다. 보다 근본적으로 우리가 처한 모든 조건과 환경 속에서 우리는 절대적으로 우리 자신의 행복을 최고의 완전성으로 누릴 수 있습니다. 이렇게 행복을 누리는 사람은 칸트와 헤겔이 인도하는 현재와 미래 사이에 놓인 처절한 심연 앞에 절대적으로 굴복되지 않습니다. 그것은 본래부터 존재하지 않는 것입니다. 따라서 우리가 성리학의 감정과학으로 우리의 행복을 확인하면, 삶의 모든 순간은 지금 우리에게 주어진 최고의 행복이 보다 더 큰 완전성으로 이행하는 최고의 기쁨입니다.

이 기쁨을 장재는 다음과 같이 확인합니다.

> 그래서 자신을 스스로 부족하거나 불완전한 존재로 여기지 않는다. 오직 자기 본래의 정신에 고유한 기능을 보존함으로써 자기 몸의 진실을 몸의 순간 변화인 감정에 나아가 확인하기 때문에 자기는 자기 진실에 관하여 절대적으로 게으르지 않는다.

우리 자신이 자기 본래의 행복을 확인할 때, 이 행복은 최고의 완전성이기 때문에 행복을 추구하는 욕망의 이성은 절대적으로 이 행복을 떠나지 않습니다. 몸이 처한 환경이나 조건으로 자신의 행복을 이해하지 않습니다. 자신을 불행으로 간주하지도 않습니다. 그렇기 때문에 욕망은 오직 영원의 필연성 안에서 분명한 자기 본래의 행복 안에서 매 순간 자기 몸의 변화 및 자연 전체의 변화에 나아가 자기 본래의 행복을 배워서 이해합니다. 이 배움을 추구하며 연마하는 것은 정신에게 의지력의 소산이 아니라 행복을 추구하는 이성의 욕망으로부터 자연스러운 것입니다. 이 진실을 주자는 다음과 같이 확인합니다.

[4-8-1 『완역 성리대전』]

『孝經』引『詩』曰‘無忝爾所生’, 故事天者, 仰不愧, 俯不怍, 則不忝乎天地矣. 又曰, ‘夙夜匪懈’, 故事天者, ‘存其心, 養其性’, 則不懈乎事天矣. 此二者畏天之事, 而君子所以求踐夫形者也.

『효경』은 『시경』의 ‘너를 낳아준 부모를 욕되게 하지 마라.’고 한 말을 인용하였으므로 하늘을 섬기는 자가 우러러 부끄러워하지 않고, 구부려 부끄러워하지 않으면 천지를 욕되게 하지 않는 것이다. 또 ‘밤낮으로 게을리 하지 않는다.’고 한 말을 인용하였으므로, 하늘을 섬기는 자가 ‘그 마음을 보존하여 그 성(性)을 기르면’, 하늘을 섬기는 일을 게을리 하지 않는다. 이 둘은 하늘을 경외하는 일이며, 군자가 제 모습을 다 실천하는 일을 찾는 근거이다.

자기는 영원의 필연성으로 영원무한의 생명과 사랑 안에서 생겨나고 활동합니다. 이 진실 안에서 부귀를 누릴 수 있으며 빈천을 겪을 수 있습니다. 그러나 자기의 절대적인 진실은 영원무한의 생명과 사랑입니다. 그렇기 때문에 자기 스스로 자기의 진실을 이해하는 한에서 자기는 부귀와 빈천에 영향을 받지 않으며 철저히 자기 본래의 진실대로 살아갑니다. “하늘을 섬기는 자가 ‘그 마음을 보존하여 그 성(性)을 기르면’, 하늘을 섬기는 일을 게을리 하지 않는다.”라고 말한 이유입니다. 이것이 사람 스스로 자기 본래의 진실대로 살아가는 큰 축복입니다. “군자가 제 모습을 다 실천하는 일을 찾는 근거이다.”라고 말했습니다.

그러므로 자기가 자기를 이해함으로써 누리는 행복이 무엇인지 분명할 때, 자기는 자신이 처한 조건과 환경에 의해서 결정되지 않습니다. 오히려 최고의 행복 안에서 자신이 처한 조건과 행복을 보다 더 큰 행복으로 이끌어 갑니다. 우리에게는 두 가지 방법이 있는 것 같습니다. 하나는 불행 안에서 불행을 행복으로 만드는 것입니다. 다른 하나는 이미 행복 안에서 보다 더 큰 행복으로 나아가는 것입니다. 어느 방법을 선택하는 것이 현명한 방법일까요? 우리 스스로 생각해 보면, 두 번째 방법이 진실로 우리를 행복으로 인도합니다. 이미 불행인데, 어떻게 행복으로 갈 수 있습니까? 이미 행복이기 때문에 행복을 보다 더 크게 하는 것이 논리적으로 옳습니다.

9장. 惡旨酒
_{오 지 주}

: 욕망의 이성

【원문】

惡旨酒, 崇伯子之顧養; 育英才, 穎封人之錫類.
_{오 지 주   숭 백 자 지 고 양   육 영 재   영 봉 인 지 석 류}

【감정과학의 분석】

달콤한 술을 싫어한 것은[惡旨酒] 숭백(崇伯)의 아들 우(禹)가 영
원무한의 생명과 사랑으로 존재하는 부모[실체]를 잊지 않고 살기 위
한 것이다[崇伯子之顧養]. 사람들로 하여금 영원무한의 생명과 사랑을
이해하도록 인도한 것은[育英才] 영봉(穎封)의 사람(人) 고숙(考叔)이
순수지선을 나누어 준 것과 같다[穎封人之錫類].

우리가 물자체 인식을 형성하면 그와 동시에 욕망의 진실에 대해
서도 이해할 수 있게 됩니다. 물자체를 명백하게 인식하기 전까지
우리는 행복을 밖에서 구하는 것으로 생각했습니다. 우리 밖에 좋은
것이 있다는 전제 하에 그것을 우리의 소유 안에 두면 행복하다고
생각했습니다. 그렇지 못하면 불행하다고 생각했습니다. 이 경우 우

리의 행복은 극심한 부침을 겪습니다. 그러나 우리가 우리 자신의 몸에 나아가 물자체의 진실로서 영원무한의 생명과 사랑을 확인하면, 행복은 이미 우리 안에 최고의 완전성으로 존재합니다. 이 행복이 분명한 사람은 자신과 자연을 감각적 현상으로 해석하지 않고 그 자체의 본성으로 이해함으로써 순수지선을 무한히 확인합니다.

욕망은 행복을 추구하는 것이므로 우리의 정신이 물자체 인식을 확보함으로써 최고의 행복을 확인하면, 욕망은 철저히 물자체 인식만을 최고의 행복으로 추구합니다. 왜냐하면 이 인식 이외 그 어떤 것으로도 최고의 완전성으로 최고의 아름다움을 확인할 수 없기 때문입니다. 이 사실로부터 행복을 추구하는 욕망은 이성을 본성으로 갖는다는 것을 알 수 있습니다. 욕망은 이성의 필연성 안에서 물자체 인식을 진리의 필연성으로 이해합니다. 왜냐하면 오직 이 이해만이 욕망에게 최고의 행복으로 분명하기 때문입니다. 따라서 욕망의 진실은 이성이라는 결론이 나옵니다.

이 사실을 스피노자도 다음과 같이 확인합니다.

⟦ 스피노자 윤리학, 제3부 정리 58 ⟧
수동적인 감정으로서 기쁨과 욕망 이외, 우리가 능동적으로 활동하는 한에서 우리 자신에게 관계하는 기쁨과 욕망의 감정도 존재한다.
– 『욕망의 이성』(성동권, 부크크, 2023)

욕망에 대한 우리의 일반적 이해는 이성과 반대되는 것이지만, 우리의 정신이 자기 몸에 나아가 물자체의 인식을 형성하는 한에서 정신은 최고의 행복을 누리게 됩니다. 이와 동시에 행복을 추구하는 욕망은 당연히 정신이 형성하는 물자체 인식을 최고의 행복으로 추구합니다. 그리고 물자체 인식은 엄밀히 말해서 몸의 순간 변화인 감정에서 무한한 방식으로 무한하게 이루어집니다. 왜냐하면 생겨난 몸은 무한히 변화함으로써 감정으로 존재하기 때문입니다. 우리가 몸의 생김을 영원의 필연성으로 인식하는 한에서 이 인식은 실질적으로 몸의 순간 변화를 영원의 필연성으로 인식하는 것입니다. 욕망이 감정에 대한 참다운 인식을 행복으로 추구하는 이유입니다.

감정에 대한 참다운 인식을 형성하면 정신은 무한한 방식으로 무한히 물자체 인식을 감정에서 확인할 수 있습니다. 이와 동시에 정신은 무한한 방식으로 무한하게 기쁨을 느낍니다. 이 느낌이 욕망으로 하여금 물자체 인식을 몸의 생김과 놀이에서 확인하도록 인도합니다. 욕망의 본질이 이성이라는 것을 여기에서 확인할 수 있습니다. 이 사실을 스피노자는 다음과 같이 확인합니다.

〚 스피노자 윤리학, 제3부 정리 59 〛
　　마음이 능동적으로 활동하는 한에서 여기에 관계되는 모든 감정 가운데 그 어떤 감정도 기쁨과 욕망이 아닌 것으로 존재하지 않는다.
　　　　　　　　　　　　　　　　　　- 『욕망의 이성』(성동권, 부크크, 2023)

이에 대한 이해를 다음과 같이 할 수 있습니다.

감정과학이 배우는 감정의 자기이해가 가져오는 축복입니다. 우리가 감정의 자기이해 안에서 우리 자신의 감정(몸의 순간 변화)을 비롯해서 세상 모든 감정(몸의 순간 변화)을 영원무한의 필연성으로 믿고 배우는 한에서 우리는 절대적으로 순수지선의 축복을 누립니다. 이 축복이 분명하기 때문에 모든 감정은 오직 '자기이해'만을 자기 행복과 기쁨으로 욕망합니다.

- 『욕망의 이성』(성동권, 부크크, 2023, p.299.)

우리가 욕망의 본질을 위와 같이 확인하고 나면, 숭백(崇伯)의 아들 우(禹)가 맛있는 술을 싫어한 이유를 알 수 있습니다. 욕망의 이성에 근거하여 보면, 맛있는 술과 물자체 인식이 가져오는 최고의 행복 사이에 어느 것을 욕망은 행복으로 추구할까요? 참고로 '우'(禹)는 사물의 본성을 이해하는 '기하학자'입니다.

우 임금은 측량 기술로 물을 다스렸고, 이를 위해 수평기(準)와 줄(繩) 그리고 컴퍼스(規) 와 직각자(矩)를 사용했다. 특히 우 임금이 가지고 다녔다는 컴퍼스와 직각자는 기하학의 징표이다. 그러므로 우 임금이 홍수를 다스린 방법은 사실상 측량 기술로서 원시 기하학이다. 우 임금이 홍수를 다스린 방법은 신비로운 마법이나 하늘의 선택을 받은 영웅의 능력이 아니라 측량 기술이었음을 알 수 있다. 그리고 이 기술은 기하학적 지식을 떠날 수 없다. 왜냐하면 기하학(geometry)은 지형(geo)을 측량(metrein)함으로써 강물의 범람을 방지하고 홍수로 인해 유실된 토지의 구획을 바로 잡는 토목 기술에서 유래했기 때문이다. 따라서 우리는 다음과 같은 세 가지 결론을 내릴 수 있다. 첫째, 기하학은 고대 서양만의 전유물이 아니다. 고대 중국에도 존재했다. 둘째, 고대 중국에서 기하학의 시조는 공자의 사상적 토대를 형성하는 요(堯)·순(舜)·우(禹) 임금 가운데 우 임금이다. 셋째, 기하학자 우 임금에 근거하여 공자와 기하학의 연결 고리를 확인할 수 있다.

- 『공자 儒學의 철학적 기초로서 기하학』
(성동권, 부크크, 2020, p.56~57.)

우(禹)가 기하학자라는 사실로부터 그의 정신에 고유한 기능이 물자체를 향한 인식임을 확인할 수 있습니다. 그리고 인간의 정신이 물자체 인식을 형성하는 한에서 욕망은 당연히 물자체 인식으로 느끼게 되는 행복을 최고의 완전성으로 추구하기 때문에 우(禹)가 달콤한 술을 싫어하는 것은 당연한 것입니다. 여기에서 우리가 혼동하면 안 되는 것은 술을 나쁜 것으로 판단하지 않는 것입니다. 이 이야기는 욕망의 이성이 무엇인지 분명히 설명하는 은유일 뿐입니다. 술도 자기 생김에 관하여 영원의 필연성을 따르기 때문에 그 자체로 순수지선입니다. 따라서 우리는 물자체 인식을 형성하는 한에서 다 좋은 것을 무한히 즐길 수 있습니다.

이 인식을 위한 방법의 기초는 엄마아빠를 잊지 않는 것입니다. 자식으로서 부모를 생각하는 마음을 잘 간직하면, 이 마음은 자기 본성을 따라서 결국 자기 본성의 필연성으로 존재하는 영원무한의 생명과 사랑인 '건곤부모'(乾坤父母)를 자연스럽게 이해하게 됩니다. 이 방법을 대표하는 사람이 영봉인(潁封人) 고숙(考叔)입니다. 자식으로 하여금 자기 존재의 기원으로 존재하는 부모를 잊지 않도록 가르쳤습니다. 이 사실은 정치를 담당하는 왕으로부터 일반 서민에 이르기까지 예외가 없습니다. 이 마음이면 물자체 인식은 자연스럽게 이루어집니다. 인간 세상은 순수지선을 누리는 평화와 행복을 얻게 됩니다.

그러므로 가장 중요한 것은 인간 정신으로 하여금 물자체 인식을 형성하도록 인도하는 것입니다. 인간의 정신이 이 인식을 형성하면, 그 즉시 욕망은 참다운 행복이 무엇인지 이해하기 때문에 철저히 물자체를 따라서 행복을 욕망합니다. 물론 이때의 욕망은 자신과 자연 전체를 물자체로 인식하는 것입니다. 매순간 감정을 느낄 때마다 욕망은 감정의 순수지선을 이해함으로써 자신의 행복을 추구합니다. 자연의 모든 것도 같은 방식으로 이해하며 그에 기초하여 행복을 추구합니다. 여기에서 우리는 욕망의 이성을 믿을 수 있습니다. 욕망이 물자체 인식으로 행복을 추구하는 한에서 욕망은 오직 생명과 사랑만을 행복으로 추구합니다.

10장. 不弛勞而
불 이 노 이

: 영원무한의 생명과 사랑

【원문】

不弛勞而底豫, 舜其功也; 無所逃而待烹, 申生其恭也.
불 이 노 이 저 예 순 기 공 야 무 소 도 이 대 팽 신 생 기 공 야

【감정과학의 분석】

영원무한의 생명과 사랑 그 자체로 존재하는 부모를 섬김에 있어서 수고로움을 게을리 하지 않아 마침내 부모를 감동하게 한 것은[不弛勞而底豫] 순(舜)이 이룬 감정과학의 공효이다[舜其功也]. 억울한 누명 앞에서도 도피하지 않고 삶아서 죽이는 팽형(烹刑)을 기다린 것은 [無所逃而待烹] 신생 스스로 자기 진리 앞에서 공손한 것이다[申生其恭也].

우리는 이 장을 두 가지 논점으로 나누어 검토할 필요가 있습니다. 하나는 순(舜)의 공덕이며, 다른 하나는 신생(申生)의 공손입니다. 순서대로 살펴보겠습니다.

---

① 순(舜)의 공덕

우리는 순(舜)의 가정사로부터 이야기를 시작해야 합니다. 아빠는 친아버지인데, 엄마는 새어머니입니다. 그리고 이 두 분 사이에 남동생이 태어났습니다. 순에게는 새엄마와 이복동생이 있습니다. 그런데 문제는 아빠와 엄마 그리고 동생이 모두 순을 죽이려고 합니다. 순에게는 정말 가슴 아픈 일이 아닐 수 없습니다. 일례로 순이 지붕을 수리하고 있을 때, 나머지 가족은 순을 죽이기 위해서 집을 불태웁니다. 이런 일들이 수없이 많습니다. 그럴 때마다 순은 부모와 형제의 계략을 미리 예측해서 죽지 않고 살아납니다. 그런 일들로 인해 원망을 느끼기도 하지만 순은 절대 부모와 형제에게 보복하지 않습니다. 지극 정성으로 부모를 모시고 동생을 보살핍니다.

순의 집안 이야기를 위와 같이 정리하고 나면, 우리 스스로 생각해 볼 필요가 있습니다.

'나' 자신이 만약 순(舜)이라면, '나'는 어떻게 할까?
순(舜)은 왜 바보 같이 당하기만 할까?

순(舜)은 바보일까요? 차마 아빠는 죽일 수 없지만, 새엄마와 이복동생은 얼마든지 죽일 수 있지 않을까요? 그런데 이야기의 결론을 보면, 순은 마침내 엄마아빠 그리고 동생과 함께 행복한 가정을 이루었습니다. 순 자신도 죽지 않았고, 나머지 가족도 죽지 않았습니다. 이 지점에서 우리 스스로 우리 자신의 욕망에 근거하여 어느 것이 진짜 행복인지 판단해야 합니다. 지금 당장의 분노와 원한으로 엄마아빠와 동생을 죽이는 것이 행복일까요, 아니면 지금 당장 힘들어도 엄마아빠 그리고 동생과 함께 행복하게 살 수 있는 방법을 찾아서 끝내 다 함께 화목하게 사는 것이 행복일까요? 이 두 가지 경우 중에서 당연히 두 번째가 행복입니다.

우리가 욕망의 이성에 근거하여 행복의 진실을 밝히고 나면, 중요한 것은 어떻게 해서 순(舜)은 자신의 행복을 실현할 수 있었는지 확인하는 것입니다. 여기에는 크게 두 가지 논점이 있습니다. 하나는 의지력입니다. 순은 자식으로서 마땅히 책임져야 하는 자신의 의무를 이행하기 위해서 의지력을 기르고, 그것으로 마침내 행복을 누릴 수 있었을까요? 다른 하나는 정신력입니다. 감정과학은 정신력을 물자체 인식으로 정의합니다. 순이 영원무한의 생명과 사랑 안에서 자기가 생겨났다는 사실을 인식하는 한에서 순은 영원무한의 생명과 사랑으로 자신의 삶을 살 수밖에 없는 필연성을 인식합니다. 욕망의 이성에 근거하여 당연한 결론입니다. 이 두 가지 가운데 순(舜)의 방법은 무엇일까요?

이제부터 문제의 답을 찾는 방법은 우리 자신의 이해에 달려 있습니다. 우리는 순과 만나서 직접 대화할 수 없습니다. 심지어 과연 순이 존재했는지 확인조차 할 수 없습니다. 그러나 우리에게 여전히 유효한 것은 순의 사례입니다. 분노의 대상이 분명하며, 심지어 그 대상을 죽이고 싶을 때가 있습니다. 우리 모두 일상에서 얼마든지 직접적으로 또는 간접적으로 겪게 되는 사례입니다. 순이 느끼게 되는 감정들과 그로 인한 수많은 생각을 의지력을 억제해야 할까요? 이 경우 순은 '초인'입니다. 문제는 이런 방식으로 순을 이해하고 동시에 감정을 이해하면, 우리 가운데 순의 행복을 누릴 수 있는 사람은 극히 드물게 됩니다.

문제는 더욱 심각합니다. 학문은 누구에게나 절대적으로 공평하며 보편적이어야 합니다. 학문에 뜻을 둔 사람이면 누구나 참여하고 그 결과를 누릴 수 있을 때, 그 학문은 올바른 것입니다. 학문에 관하여 그것을 할 수 있는 사람과 할 수 없는 사람으로 구분하면, 결국 그 학문은 사람의 성스러움을 절대적으로 확인할 수 없습니다. 오히려 학문의 이름으로 사람의 등급을 매김으로써 불평등과 가치의 우열을 가리게 됩니다. 이 지점에서 과연 우리가 굳이 이런 방식으로 학문을 연마할 필요가 있는지 생각해야 합니다. 그리고 끝내 순(舜)의 사례 분석은 우리 자신과 무관한 것이 됩니다. 우리 가운데 순처럼 행동할 수 있는 사람은 거의 없습니다.

의지력에 기초한 학문의 심각한 문제점을 확인하고 나면, 우리에게 남은 것은 정신력입니다. 우리는 우리 자신의 몸 내부의 변화 및 외부와의 교차를 통한 변화를 통해서 무한한 감정으로 존재합니다. 그러나 이미 충분히 논의한 바와 같이 몸의 생김에 고유한 본성에 근거하여 몸의 놀이로서 무한한 감정도 영원의 필연성 안에서 생명과 사랑으로 존재합니다. 감정의 겉모습은 무한한 방식으로 무한하지만, 이 모든 무한한 감정에 고유한 본성은 절대적으로 생명과 사랑입니다. 이 진실이 내 몸의 생김에 고유한 본성이라면, 내 몸의 기원은 엄밀히 말해서 눈에 보이는 부모가 아니라 영원무한의 생명과 사랑입니다.

우리가 이 사실을 확인하면, 우리 자신의 부모를 모신다는 것은 근본적으로 우리 몸의 본성으로 존재하는 영원무한의 생명과 사랑입니다. 이렇게 부모의 진실을 이해하고 모실 때, 비로소 우리가 경험하는 부모를 모시는 방법이 무엇인지 이해할 수 있습니다. 부모의 진실이 영원무한의 생명과 사랑이기 때문에 눈에 보이는 부모를 모시는 방법도 영원무한의 생명과 사랑입니다. 그리고 생김의 진실로부터 감정의 진실이 영원의 필연성으로 연역되기 때문에 몸-놀이에서 경험하게 되는 부모형제와의 감정도 오직 생명과 사랑 안에 존재합니다. 우리가 우리 자신의 정신력으로 이 사실을 이해하면, 순의 행복은 곧 우리 자신의 행복으로 확인됩니다.

그러므로 순(舜)의 공덕은 엄밀히 말해서 자기 자신만의 것이 아닙니다. 학문의 진실이며, 동시에 감정과학을 연마함으로써 우리가 마땅히 누려야 할 최고의 축복입니다. 장재는 이를 위한 방법을 다음과 같이 요약합니다. "영원무한의 생명과 사랑 그 자체로 존재하는 부모를 섬김에 있어서 수고로움을 게을리 하지 않아 마침내 부모를 감동하게 한 것은 순(舜)이 이룬 감정과학의 공효이다."라고 했습니다. 앞에 있는 부모는 건곤부모이며, 뒤에 있는 부모는 경험 속 부모입니다. 서로 다른 것이지만, 이 둘 사이의 순서를 이해하면 서로 다른 부모가 아닙니다. 건곤부모를 아는 사람이 경험하는 부모를 진실로 사랑하며 모실 수 있습니다.

② 신생(申生)의 공손

신생(申生)의 가정사 또한 순(舜)과 크게 다르지 않습니다. 어머니가 돌아가시자, 아버지께서 아내를 새로 얻으셨습니다. 이 두 분 사이에 동생이 태어났습니다. 문제는 순과 마찬가지로 신생의 아버지와 어머니가 신생을 죽이려고 합니다. 여기에는 곡절이 있습니다. 새어머니가 자신의 아들인 신생의 이복동생에게 아버지의 자리를 물려주기 위해서 신생을 죽이려고 합니다. 아버지로 하여금 신생에 대해서 오해하도록 일을 꾸몄으며, 마침내 신생에게 크게 화난 아버지는 신생을 죽이겠다고 결정했습니다. 새엄마는 아버지로 하여금 신생이 자신을 겁탈하려 한다는 착각에 빠지게 만들었기 때문입니다. 이런 터무니없는 모함을 당했을 때 우리는 무엇을 할 수 있을까요?

두 가지 방법이 있는 것 같습니다. 하나는 집을 떠나서 피신하는 것입니다. 다른 하나는 이 모든 일이 새어머니의 계략에서 비롯된 것임을 아버지께 다 알리는 것입니다. 그러나 놀랍게도 신생은 이 두 가지 모두를 거부합니다. 우선, 집을 떠난다면 새어머니가 꾸민 일이 진실이 됩니다. 반대로 아버지께 일의 전후 사정을 모두 알리면 새어머니와 동생은 아버지 곁을 떠날 수밖에 없습니다. 이제 신생에게 남은 방법은 무엇일까요? 아버지가 자신을 죽일 때까지 기다리는 것일까요? 이 경우 아버지는 자식을 살해한 무자비한 사람이 됩니다. 이 모든 생각 끝에 신생은 자살을 결심하고 끝내 자살로 자신의 생을 마감합니다.

그런데 놀라운 반전이 우리를 기다리고 있습니다. 장재는 신생을 자살한 불효자식으로 판단하지 않습니다. 진리 앞에 공손한 효자라고 설명합니다. "억울한 누명 앞에서도 도피하지 않고 삶아서 죽이는 팽형(烹刑)을 기다린 것은 신생 스스로 자기 진리 앞에서 공손한 것이다."라고 했습니다. 행동의 겉모습만을 보면, 신생은 자살한 사람이 분명합니다. 순(舜)과 전혀 다른 양상으로 이야기가 전개되는 것을 알 수 있습니다. 순은 절대 죽지 않으려고 무진장 애를 씁니다. 반면 신생은 자실을 결정합니다. 이렇게 상반된 행동을 두고 장재는 둘다 지극한 효도이며 공손한 것이라고 합니다.

이 지점에서 우리는 성리학의 감정과학이 현상에 대한 해석이 아닌 물자체 인식을 추구한다는 사실을 다시 확인할 수 있습니다. 도대체 무엇을 근거로 장재는 신생의 자살을 공손하다고 판단하는 것일까요? 이 주제에 대한 주자의 이해를 참고할 필요가 있습니다.

[4-11-1-3 『완역 성리대전』]
問：“「西銘」‘無所逃而待烹’, 申生未盡此道, 何故取之?”
曰：“天不到得似獻公也. 人有妄, 天則無妄. 若教自家死, 便是理合如此, 只得聽受之耳.”

물었다. “「서명」에서 ‘도망갈 곳이 없어서 팽형을 기다렸다.’고 했으니, 신생은 이 도를 다 구현하지 않았는데, 무엇 때문에 그것을 취했습니까?”

(주자가) 대답했다. “하늘은 헌공과 같이 하는 데까지는 이르지 않는다. 사람은 망령스러움이 있지만, 하늘은 망령스러움이 없다. 만약 자기가 죽는 것이 이치상 이와 같이 해야 한다면 단지 받아들일 뿐이다.”

주자는 “만약 자기가 죽는 것이 이치상 이와 같이 해야 한다면 단지 받아들일 뿐이다.”라고 말합니다. 몸의 생김과 놀이를 관통하는 진리는 영원무한의 생명과 사랑입니다. 몸의 현상을 보면, 몸에는 생겨난 생일(生日)과 목숨이 끝나는 망일(亡日)이 있습니다. 그러나 몸 자체의 진실은 영원무한의 생명과 사랑입니다. 이러한 몸의 진실을 장재는 『서명』에 이은 『정몽』에서 ‘태허’(太虛) 또는 ‘태화’(太和)라고 했습니다. 영원무한의 생명과 사랑으로 존재하는 단 하나의 ‘몸’(실체)가 존재하며, 이 존재로부터 무한한 몸(양태)가 무한한 방식으로 생겨나고 활동합니다. 무한 양태 가운데 하나가 우리의 몸입니다. 따라서 몸의 본질은 영원무한의 생명과 사랑 안에 있습니다.

여기에서 우리가 생각해 보면, 신생의 '행동'은 겉으로 봤을 때 자살 같지만 그 이면에 있는 '정신'은 영원무한의 생명과 사랑이 분명합니다. 신생 자신은 자기 생명의 진실을 영원무한의 생명과 사랑으로 이해합니다. 이 진실은 자연 안에 존재하는 모든 몸에 공통됩니다. 이 진실을 이해하는 한 신생에게 죽음은 없습니다. 신생에게는 자살이나 살인에 대한 관념이 없습니다. 이렇게 생명과 사랑의 진실을 확인하고 나면, 신생이 취할 수 있는 행복의 유일한 방법은 자신이 죽는 것입니다. 이것으로 아빠와 엄마 그리고 동생의 행복을 지킬 수 있다면, 신생은 기꺼이 자신의 행복을 위해서 죽을 수 있다는 것입니다.

영원무한의 생명과 사랑 안에 우리를 비롯해서 자연 전체가 존재합니다. 이 사실을 확인하면, 죽지 않고 사는 것도 영원무한의 생명과 사랑이며 이와 정반대로 살지 않고 죽는 것도 영원무한의 생명과 사랑입니다. 이 지점에서 우리에게 중요한 것은 감각적 현상에 대한 해석이 아니라는 결론이 나옵니다. 진실로 중요한 것은 우리 각자가 자기이해 안에서 물자체 인식을 형성하고, 그에 입각하여 자기 본성의 필연성을 따라서 살아가는 자유입니다. 이로부터 행복을 누리는 방법은 현상에 대한 해석이 아니라 현상에 나아가 그 자체에 고유한 본성의 필연성을 배워서 이해하는 것이라는 결론이 나옵니다.

이상, 순 임금과 신생의 가족사에 근거하여 영원무한의 생명과 사랑이 무엇인지 확인했습니다. 감정과학은 어떤 행동의 현상을 근거로 그것이 갖는 의미를 해석하지 않습니다. 그렇기 때문에 해석 전쟁 같은 것은 상상할 수 없습니다. 과연 누구의 해석이 옳은 것인지 판단하지 않습니다. 감정과학은 자기이해 안에서 자기답게 사는 것을 최고의 행복으로 확인합니다. 영원의 필연성으로 자기는 영원무한의 생명과 사랑으로 결정되어 있으며, 이 진실 안에서 살아가도록 결정되어 있습니다. 이 사실을 이해하는 자기는 오직 자기이해를 통해서 자기답게 살아갈 뿐입니다. 그 누구도 그에 대한 해석으로 가치를 판단하지 않습니다. 우리 모두 이렇게 묻고 배우면, 영원무한의 생명과 사랑을 누리는 축복을 받으며 이 축복을 서로에게 나누어줍니다.

11장. 體其受而
체 기 수 이

: 가장 소중한 나의 몸

【원문】

體其受而歸全者, 參乎; 勇於從而順令者, 伯奇也.
체 기 수 이 귀 전 자   삼 호   용 어 종 이 순 령 자   백 기 야

【감정과학의 분석】

부모로부터 받은 자기 몸을[體其受] 영원무한의 생명과 사랑으로 이해함으로써 자기 몸의 완전성을 확인한 사람은[歸全者] 증자(參)이다. 용맹하게 영원무한의 생명과 사랑만을 따름으로써[勇於從] 자기 본성의 필연성에 순응한 사람은[順令者] 백기(伯奇)이다.

'체기수'(體其受)에 대한 번역이 매우 중요합니다. 기수(其受)의 '其'는 '자신'입니다. 3인칭이나 대명사로 이해해서는 안 됩니다. 왜냐하면 우리가 감정과학으로 『서명』을 이해하는 한에서 이 문서를 이해하는 문법은 '자기 자신'이기 때문입니다. 이로부터 '受'는 자기 몸의 기원이 부모에게 있다는 사실을 확인합니다. 이것을 체(體)하는 것이므로, 체(體)를 동사로 번역하는 것이 중요합니다. 부모로부터 받

은 자기의 몸을 체(體)한 결과가 자기 존재의 완전성을 확인하는 '귀전'(歸全)입니다. 그렇기 때문에, 이때의 체(體)는 자기 몸에 고유한 본성의 필연성으로 존재하는 실체(實體)를 확인하는 정신력으로 이해할 수밖에 없습니다. 지금 자기의 몸을 실체의 몸으로 이해하는 것이 '체기수'(體其受)입니다.

그리고 당연히 이 이해는 실체에 고유한 영원무한의 생명과 사랑에 의해서 지금 자신의 몸이 영원무한의 생명과 사랑으로 생겨나서 활동하고 있다는 사실을 분명하게 이해하는 것입니다. 이 이해가 분명한 사람은 자기 생명의 진실에 대해서 의심하지 않거니와 자기 생명의 진실 이외 그 어떤 것에 의해서도 영향을 받지 않습니다. 무한한 방식으로 무한하게 드러나는 몸의 현상에 위축되거나 유혹되지 않습니다. 오직 몸에 고유한 본성인 생명과 사랑만으로 자기의 삶을 살아갈 뿐만 아니라 이 진실 안에서 자연 만물을 이해합니다. 장재는 이처럼 자기 본성의 필연성에 대한 자기이해 안에서 오직 자기 본성의 필연성만으로 살아가는 자유를 진정한 용기로 이해합니다.

영원무한의 생명과 사랑에 의해서 최고의 완전성으로 축복 받아 태어난 존재가 우리의 진실이며 동시에 자연의 진실입니다. 이로부터 행복에 대한 가장 간단한 정의가 연역됩니다. 자기 진실을 이해함으로써 자기 진실대로 살아가는 것이 최고의 행복입니다. 왜냐하면 자기 진실은 영원무한의 생명과 사랑이며, 그 자체가 이미 최고의 완전성 그 자체이기 때문입니다. 물자체 인식으로부터 우리 인간이 최고의 행복을 누릴 수 있다는 것은 비단 동양에 국한 된 것이 아닙니다. 서양 철학의 시조라고 할 수 있는 소크라테스도 이 진실을 다음과 같이 확인합니다.

소크라테스: 오, 크리톤, 별로 당부할 것도 없네. 단지 내가 언제나 자네들에게 말한 것처럼 자네들은 자기 자신을 돌보게. 그렇게 하면 다른 당부는 하지 않더라도 나나 우리 집 식구들에게나 또는 자네들 자신에게 봉사하는 것이 될 걸세. 그렇지만 자네들이 자기 자신에 관해 생각지 않고 지금 말한 나의 권고를 따르지 않는다면, 현재 아무리 많은 약속을 하고 그것을 지키겠다고 언약을 하더라도 아무 쓸모가 없을 걸세.

- 『파이돈』(플라톤/ 최현 옮김, 범우사, 2008, p.135)

소크라테스는 "자네들은 자기 자신을 돌보게."라고 마지막 유언을 남겼습니다. 자신을 돌본다는 것은 "자기 자신에 관해 생각"하는 것입니다. 자신에 대한 생각은 자기 몸의 생김에 고유한 본성의 필연성에 대한 이해입니다. 영원무한의 생명과 사랑이 그것입니다. 이 사실을 소크라테스도 이미 확인했습니다.

소크라테스: 그렇다면 불사적인 것에 관하여도 반드시 이와 같이 말할 수 있을 것이네. 만일 불사적인 것이 불멸하는 것이라면, 육신이 죽음에 당하더라도 영혼은 결코 멸할 수 없다고 말일세. 왜냐하면 지금까지 우리가 이야기해 온 바와 같이, 영혼은 결코 죽음을 받아들이지 않으며 따라서 죽을 수 없기 때문이네. 이는 마치 3이나 그 밖의 홀수가 짝수를 받아들일 수 없고, 불이나 불 속에 있는 열이 냉기를 받아들일 수 없는 것과 마찬가지 이치라네. 그 때문에 신과 생명과 그리고 그 밖의 무엇이든지 불사적인 것은 결코 멸하지 않는다는 사실을 누구나 인정하고 있는 걸세. 이와 같이 불사적인 것이 또한 불멸하는 것이라고 하면, 영혼이야말로 불사적인 것이면서도 불멸하는 것이 아니겠나?

- 『파이돈』(플라톤/ 최현 옮김, 범우사, 2008, p.118~119.)

생명이 생겨났다는 것은 그에 앞서는 생명의 존재를 진리의 필연성으로 증명합니다. 생명이 생명을 낳습니다. 이렇게 생각을 무한히 하면 생명은 생명 그 자체로 영원의 필연성으로 존재한다는 사실을 확인할 수 있습니다. 이 사실을 지금 우리의 정신이 확인할 때, 정신은 자기의 본질 또한 영원의 생명임을 깨닫습니다. 왜냐하면 영원의 생명은 오직 영원의 생명 자신만이 알 수 있기 때문입니다. 영원의 생명으로 존재하지 않는 것은 영원의 생명을 이해할 수 없습니다. 그러나 우리는 조금 전에 영원의 생명이 영원의 필연성으로 존재한다는 사실을 확인하였습니다. 따라서 지금 우리의 정신이 영원의 생명을 이해한다는 것은 사실상 영원의 생명 스스로 자기 생명의 진실을 이해하는 것입니다.

방금 우리는 생명에 대한 증자(參)와 소크라테스의 이해가 본질적으로 일치한다는 사실을 확인할 수 있습니다. 이렇게 생명의 진실을 영원무한으로 확인함으로써 최고의 행복을 누리는 방법은 자기 스스로 자기 몸의 진실을 이해하는 것입니다.

> 자기가 자기를 바르게 알 때 자기는 '자기답게' 살 것이므로 자기는 무엇보다도 자기를 바르게 알아야 합니다. 자기가 깨닫게 된 자기의 진실이 사랑이라면, 자기는 사랑의 자기로 자기답게 살 것이 분명합니다. 이 사실을 자기가 확인한다면, 자기는 세상을 걱정할 일이 전혀 없습니다. 세상 모든 '자기들'이 자기가 서 있는 그 자리에서 자기의 진실이 무엇인지 알면, 그것으로 '세상 걱정'은 '세상 사랑'으로 제 자리를 찾아서 앉을 것이기 때문입니다. 오직 이 이유로 공자도 소크라테스도 세상 걱정 이전에 무엇보다도 자기 진실을 먼저 알아야 한다고 가르쳐줍니다.
> ―『공자의 감정과학』(성동권, 부크크, 2022, p.164.)

다음으로 백기(伯奇)의 사례를 살펴보도록 하겠습니다. 백기의 이야기는 이미 앞 장에서 살펴본 신생(申生)의 이야기와 일치합니다. 백기도 신생과 마찬가지로 가정의 비극을 가정의 행복으로 지키기 위해서 스스로 목숨을 끊습니다. 이 역시 겉모습은 자살이지만, 그 자체에 고유한 본성은 영원무한의 생명과 사랑입니다. 그렇기 때문에 장재는 백기를 효자로 칭송합니다. 여기에서 보면 유교문화 및 그에 뿌리를 둔 성리학의 문화에서 효(孝)의 개념은 부모와 자식 사이에 놓인 자식의 의무나 행동이 아닙니다. 자식 스스로 자기 생김에 고유한 진실을 이해하는 것이 효의 기초입니다. 그 결과 자식은 자기 생명의 진실을 생명과 사랑으로 확인하고 오직 이 진실만으로 살아 갑니다. 이것이 유교 성리학이 정의하는 최고의 '효'입니다.

증자와 마찬가지로 백기의 사례 역시 동양에만 국한된 것이 아닙니다. 서양 중세 철학의 기틀을 마련한 보이티우스를 통해서도 이 진실을 확인할 수 있습니다. 다만 참조할 부분은 백기와 본질적으로 일치한 사례로서 보이티우스의 이야기는 역사에 의해서 분명히 고증되었다는 것입니다. 감정과학의 진리가 단순히 이야기로 전해지는 것이 아니라 진실로 우리 인류의 역사에 존재했다는 사실을 우리가 확인하면, 우리는 이 학문의 진리를 보다 더 확고부동하게 믿을 수 있습니다. 중요한 것은 백기나 보이티우스의 행동을 모방하는 것이 아니라 그들의 행동 안에 존재하는 진리를 향한 정신력에 대해서 생각해 보는 것입니다.

보이티우스는 신생이나 백기처럼 모함을 받아 죽임을 당합니다. 신생과 백기가 아버지로부터 죽임을 당하는 처지에 놓여 있다면, 보이티우스는 자신이 모시던 임금에 의해서 죽임을 당합니다. 보이티우스는 억울함과 분노로 자신의 이야기를 시작합니다. 그런 그가 자기 이야기 속에서 자기 스스로 자명한 이해를 형성합니다. 그 결과 다음과 같은 유언을 남기고 죽습니다.

> 신은 위로부터 만물을 내려다보시는 예지의 관찰자요, 그 관조는 항상 현재적인 영원성을 가지고 있어 우리 미래 행동들의 성질과 보조를 같이하니 선인들에게는 상을, 악인들에게는 벌을 내리시는 것이다. 그러므로 신께 둔 희망과 신께 바친 기도는 헛된 것이 아니다. 또 이런 희망과 기도가 바른 것일 때 그런 것들은 효과가 없을 수 없는 것이다. 그러므로 너희는 악행에 항거하고 덕행을 닦으라. 올바른 희망에 마음을 들어 올리라. 하늘로 겸손된 기도를 올리라. 너희가 스스로 속이고자 하지 않는다면 너희는 바르게 살아야 할 크나큰 필연성을 지니고 있으니 즉 너희는 모든 것을 투시하는 재판관의 눈앞에서 행동하고 있기 때문이니라.
> - 『철학의 위안』(보이티우스/ 정의채 옮김, 바오로딸, 2017, p.230.)

보이티우스 자신은 임금을 둘러싼 간신배들에 의해서 억울하게 죽임을 당하는 처지 한 가운데 있습니다. 세상을 원망할 수 있고, 사람에 대한 분노를 느낄 수 있습니다. 이는 지극히 당연합니다. 믿었던 사람들로부터 배신을 당했을 때, 그 누구도 행복할 수 없습니다. 그런데 보이티우스의 경우는 여기에 그치지 않습니다. 진리를 향해서도 원망합니다. 자신을 성공과 행복으로 인도한 진리 때문에 불행의 나락으로 떨어졌다며 원망합니다. 자신은 오직 진리만을 따라서 살았는데, 그 결과가 비참한 죽음이라는 것입니다. 이렇게 분노와 원망으로 시작한 보이티우스가 자기 스스로 자기 감정에 나아가 생각해 봅니다. 그 결과 자신은 영원으로부터 영원에 이르는 진리의 필연성대로 살았다는 사실을 깨닫습니다. 생명과 사랑이 진리이기 때문에 오직 생명과 사랑만으로 자신의 삶을 살았고 정치가로서 자신의 직분을 다 했다고 생각합니다.

이 깨달음으로 보이티우스는 자신을 위로합니다. 이것으로 세상과 사람을 향한 원망과 분노를 해소하고 최고의 행복을 확인합니다. "너희가 스스로 속이고자 하지 않는다면 너희는 바르게 살아야 할 크나큰 필연성을 지니고 있으니 즉 너희는 모든 것을 투시하는 재판관의 눈앞에서 행동하고 있기 때문이니라."라고 말했습니다. 생김의 진실이 영원무한의 생명과 사랑이기 때문에 놀이의 진실 또한 생명과 사랑을 어길 수 없다는 것입니다. "바르게 살아야 할 크나큰 필연성을 지니고 있으니"라고 말한 이유입니다. "모든 것을 투시하는 재판관"이란, 자신의 감정입니다. 자신의 감정은 몸의 순간 변화이기 때문에 우리가 몸의 진실을 생명과 사랑으로 이해하는 한에서 감정은 자신의 무한성을 생명과 사랑 안에 둡니다. 즉, 몸으로 살아가며 느끼는 모든 감정이 생명과 사랑을 증명하기 때문에 감정이 곧 재판관입니다.

이 이해가 분명하면, 그 즉시 세상의 진실은 천명(天命) 안에서 영원의 결정으로 순수지선(純粹至善)이라는 사실을 확인합니다. 영원의 순수지선이 몸으로 생겨나 몸으로 살아가는 세상의 진실입니다. 몸이 없는 세상은 세상이 아닙니다. 순수지선의 몸이 무한한 방식으로 무한하게 교차하며 순수지선의 감정을 무한한 방식으로 무한하게 느끼는 것을 천하(天下)의 성스러운 장엄함이라고 합니다. 이것이 세상의 진실입니다.
- 『중용의 감정과학』(성동권, 부크크, 2023, p.303~304.)

그러므로 성리학의 감정과학으로 우리 자신의 생명을 이해하는 한에서, 우리는 최고의 행복 안에서 최고의 완전성으로 오직 생명과 사랑만을 지키며 나누는 축복을 누리게 됩니다. 우리는 모두가 행복한 세상을 꿈꿉니다. 이 꿈을 위해서 우리가 반드시 해야 할 일이 있다면 그것은 감정과학을 연마하는 것입니다. 왜냐하면 이 학문만이 모두가 행복한 세상을 우리 자신의 본래 진실로 확인하기 때문입니다. 엄밀히 말해서 우리 자신의 몸이 이미 행복한 세상입니다. 우리 자신의 몸이 우주 자연과 본래의 하나의 몸입니다. 이 사실을 알면 세상은 '장엄천지'이나, 이 사실을 모르면 세상은 '무간지옥'입니다.

12장. 富貴福澤
부 귀 복 택

: 경제의 정의와 행복

【원문】

富·貴·福·澤, 將厚吾之生也; 貧·賤·憂·戚, 庸玉女於成也.
부 귀 복 택   장후오지생야   빈 천 우 척   용옥녀어성야

【감정과학의 분석】

영원무한의 생명과 사랑으로 생겨난 나의 몸이기 때문에[富·貴·福·澤] 나는 가장 부유하며 가장 귀하고 가장 축복 받았으며 가장 빛나는 존재이다[將厚吾之生也]. 영원무한의 생명과 사랑으로 살아가는 '나'이기 때문에 나는 항상 생명과 사랑에 목이 마르며 가장 낮은 자리에 처하고 생명과 사랑으로 슬퍼하며 걱정한다[貧·賤·憂·戚]. 이것으로 나는 나의 생명을 다 이룬다[庸玉女於成也].

위의 원문을 우리는 두 가지 방식으로 읽을 수 있습니다. '경제현상'과 '경제의 진실'이 그것입니다. 어떤 방식으로 읽어도 결론은 같기 때문에 번역은 경제의 진실에 근거하였습니다. 이 주제를 논하기 이전에 '부귀빈천'에 대한 일반적 이해를 살펴볼 필요가 있습니

다. '부귀복택'(富貴福澤)은 누구나 다 좋아하지만, '빈천우척'(貧賤憂戚)은 누구다 다 싫어합니다. 이로부터 부귀복택은 선(善)이지만, 빈천우척은 악(惡)입니다. '빈곤 퇴치' 같은 말이 등장하는 배경은 여기에 있습니다. 우리는 싫어하는 것을 악(惡)으로 규정합니다. 빈천을 사회악으로 이해하거나 설명하는 이유입니다.

이 경우 빈천에 처한 분들은 자기 스스로 자기 존재를 부정하지 않을 수 없습니다. 자기 스스로 자신을 惡으로 이해할 때, 자기 스스로 자기 존재를 부정하는 것은 지극히 당연한 것입니다. 다른 한편으로 이러한 이해는 사회로 하여금 그들을 연민과 함께 경멸의 눈초리로 바라보게 합니다. 우리가 경제 현상을 이렇게 이해하게 되면, '빈천우척'(貧賤憂戚)은 처절한 현실이 되며 '부귀복택'(富貴福澤)은 환상의 미래가 됩니다. 이때 어떤 이가 '빈천우척'으로 우리 자신의 존재를 보다 더 완전하고 아름답게 가꿀 수 있다고 하면, 빈천에 처한 분들은 어떤 생각을 하게 될까요? 그이를 향해 극도의 분노를 느낄 수 있습니다. '당신이 한번 빈천으로 살아본 다음에 그런 말을 하라!'고 대답할 수 있습니다.

그러나 이 지점에서 우리 스스로 우리 자신의 욕망에 귀를 기울여 볼 필요가 있습니다. 솔직하게 말해서 우리 모두는 '부귀복택'을 행복으로 추구하지만, 반대로 '빈천우척'은 그 누구도 행복으로 추구하지 않습니다. 우리 스스로 이 진실에 솔직하면, 욕망의 선택 이전에 욕망이 존재한다는 사실이 논리적으로 분명합니다. 욕망이 존재해야, 욕망은 자신의 선택을 할 수 있습니다. 그렇다면 욕망이 부귀복택을 행복으로 선택하고 반대로 빈곤우척을 불행으로 선택할 때, 그 선택 이전에 욕망이 존재해야 한다는 것을 알 수 있습니다. 바로 이 지점에서 우리는 욕망 그 자체에 대해서 이해할 필요가 있습니다. 왜냐하면 욕망에 고유한 본성 그 자체가 무엇인지 명백하게 이해할 때, 욕망의 선택에 대해서 올바르게 이해하고 판단할 수 있기 때문입니다.

욕망의 선택 이전에 욕망이 존재한다는 사실을 우리가 확인했기 때문에 얼마든지 다음과 같은 질문이 성립합니다.

욕망 이전에 존재하는 것은 무엇인가?

우리는 몸으로 생겨나서 몸으로 살아갑니다. 이 둘 사이에 논리적 선후는 분명합니다. 몸으로 살아가기 이전에 몸으로 생겨나야 합니다. 그런데 몸으로 살아간다는 것은 욕망의 선택으로 살아가는 것입니다. 이는 그 자체로 자명한 것입니다. 왜냐하면 우리가 몸으로 살아가는 모든 순간은 실질적으로 욕망의 선택으로 살아가는 모든 순간이기 때문입니다. 우리가 욕망의 선택을 느끼지 못한다면, 그 즉시 우리의 삶은 어떤 특정한 방식으로 전개될 수 없습니다. 아주 간단하게 친구를 만나고 싶다는 욕망의 선택을 느끼지 못하면 친구를 만날 일이 없습니다. 친구와 만났을 때, 음식을 먹고 싶은 욕망을 느끼지 못하면 음식을 먹을 수 없습니다. 이처럼 몸으로 살아간다는 것은 욕망의 선택으로 살아가는 것입니다.

그런데 조금 전에 논의한 바와 같이 욕망의 선택으로 살아가기 이전에 욕망이 존재합니다. 한편, 욕망의 선택이 곧 몸으로 살아가는 것이기 때문에 '욕망의 선택' 이전의 '욕망'은 사실상 '몸-놀이' 이전의 '몸-생김'에 고유한 진실이라는 것을 알 수 있습니다. 몸으로 생겨나서 몸으로 살아간다는 것은 욕망이 자신의 선택으로 살아가는 것과 동일한 것입니다. 이로부터 다음과 같은 결론은 필연적입니다.

몸에 고유한 생김의 진실이 곧 욕망에 고유한 진실이다.

몸의 생김에 고유한 그 자체의 진실은 우리가 이미 알고 있습니다. 영원무한의 생명과 사랑이 우리 몸에 고유한 진실이며 동시에 자연 전체의 진실입니다. 그렇기 때문에 우리 자신의 몸은 이미 영원의 필연성으로 생명과 사랑으로 생겨났으며, 그러한 한에서 존재의 진실은 최고의 완전성으로 존재하는 최고의 아름다움입니다. 이 진실이 몸의 생김에 고유한 진실이라면, 욕망 그 자체의 진실 또한 당연히 최고의 완전성으로 존재하는 최고의 아름다움입니다. 이 진실은 자연 전체의 진실입니다. 자연 안에 몸으로 존재하는 모든 것은 자기 생김에 관하여 최고의 완전성과 최고의 아름다움을 본성으로 갖습니다.

영원무한의 생명과 사랑 안에서 최고의 완전성과 최고의 아름다움으로 생겨난 것이 지금 '나'의 몸이며 자연 전체의 몸입니다. 이 진실이 '나'의 욕망이며 자연 전체의 욕망입니다. 욕망이 자기 생김에 고유한 진실을 이해하면, 욕망의 선택은 오직 자기 본성에 고유한 필연성인 생명과 사랑만을 최고의 행복으로 추구합니다. 이 결론에서 우리는 부귀복택을 두 가지 측면에서 이해할 수 있습니다. 욕망의 생김이 이미 부귀복택입니다. 욕망은 자기 생김에 관한 본성으로 영원무한의 생명과 사랑을 가지고 있으며, 이로부터 욕망은 최고의 완전성으로 존재하는 최고의 아름다움입니다. 이 이해에 기초하여 자연을 바라보면, 욕망은 자연 전체의 욕망과 자신이 본질적으로 동일하다는 사실을 확인합니다.

욕망이 이렇게 자기 생김을 이해하면, 욕망은 자기 생김의 진실대로 놀이합니다. 즉, 자연 전체에 나아가 모든 몸을 생명과 사랑 안에서 이해하며, 이 이해로부터 욕망은 자신의 부귀복택을 무한한 방식으로 무한하게 누리게 됩니다. 자연의 모든 것을 생명과 사랑으로 이해하게 되면, 당현히 경제는 무한히 발전합니다. 왜냐하면 좋은 것이 무한한 방식으로 무한하게 확인되며, 이로부터 다시 좋은 것이 무한하게 우리의 삶에 드러날 것이기 때문입니다. 이처럼 욕망의 진실에 근거하여 욕망의 선택을 이해하면, 경제가 발전하는 것은 지극히 당연합니다. 이때 비로소 부귀복택을 경제적 현상으로 이해할 수 있습니다. 이미 욕망의 진실이 부귀복택이기 때문에 욕망이 자기 진실대로 선택하면 그 결과는 필연적으로 부귀복택입니다.

다음으로 매우 어려운 주제이지만, 앞에서 논의하였듯이 '빈천우척'도 같은 방식으로 이해할 수 있습니다. 자기 존재의 진실이 이미 최고의 완전성으로 부귀복택인데 자기가 처한 경제 현실은 빈천이며, 그로 인하여 하루하루가 근심 걱정으로 가득합니다. 그러나 그러한 근심 걱정 속에 있는 자기의 진실은 자기 몸에 근거하여 이미 부귀복택입니다. 부귀복택의 영원한 진실이 빈천우척의 현상 한 가운데 있습니다. 이런 지경에서 자기 스스로 자기의 행복을 구원하는 방법은 무엇일까요? 자기 몸의 진실을 먼저 챙겨야 합니다. 왜냐하면 앞에서 다룬 논리적 순서에 근거하여 경제 현상은 자기 몸에 절대적으로 의존하기 때문입니다. 자기 몸의 진실을 지켜야 합니다. 욕망의 본질을 이해하는 것이 매우 중요한 이유가 바로 여기에 있습니다.

'부귀복택'이 '빈천우척'으로 살아가고 있다는 논리적 순서만 확인해도, 자기는 빈천우척 한 가운데에서도 행복을 절대 잃지 않습니다. 이렇게 행복을 지키는 사람은 빈천우척 앞에서 자포자기에 빠지지 않습니다. 자기의 행복으로 빈천우척을 자기 본래의 부귀복택으로 이끌어 갑니다. 다음의 두 가지 경우를 생각해 봅시다. 지금 우리가 처한 현실은 빈천우척입니다. 이때 부귀복택을 미래의 목적에 두면, 하루하루가 지겹습니다. 결국 자포자기에 빠지게 됩니다. 반면, 자기 존재에 대한 자기 이해 안에서 자기의 행복을 부귀복택으로 확인한 사람은 빈천우척 앞에 절대적으로 왜소해지지 않습니다. 행복의 힘으로 빈천우척을 살아내며 끝내 본래의 부귀복택을 더 크게 누립니다.

위 두 가지 경우 가운데, 어느 것이 현명한 것일까요? 당연히 두 번째 경우입니다. 우리가 두 번째 경우로 살아가는 한에서 절대적으로 자포자기에 빠지지 않습니다. 왜냐하면 우리는 부귀복택과 빈천우척에 상관없이 절대적으로 최고의 완전성 안에서 최고의 행복을 누리기 때문입니다. 반면, 첫 번째 경우로 인생을 살아가면 자포자기의 자살 아니면 돈에 관한 결핍증의 완화 이외 없습니다. 오히려 많이 가지면 가질수록 그에 비례하여 자기가 가지지 못한 것에 대한 분노와 원망에 빠지게 됩니다. 우리가 이 두 가지 경우를 비교할 수 있으면 두 번째 경우로 자기를 이해하고 살아가는 것이 행복을 위한 가장 안전하고 확실한 방법임을 깨닫게 됩니다.

이미 부귀복택으로 존재하고 있는 자기가 빈천우척 한 가운데 살고 있다는 사실을 자기 스스로 확인하면, 빈천우척이 뜻밖에 고맙습니다. 왜냐하면 빈천우척 덕분에 자기는 자기 본래의 진실인 부귀복택을 보다 더 선명하게 이해하기 때문입니다. 그리고 빈천우척 한 가운데에 있는 자기는 최선을 다하여 자신을 가꿀 뿐만 아니라 빈천우척 앞에서 자포자기 보다는 자신의 부귀복택을 보다 더 크게 하기 위하여 최선의 노력을 합니다. 이렇게 노력하는 사람은 결국 자기의 경제적 환경을 보다 더 큰 완전성으로 개선해 나아갑니다. 이미 부귀복택이기 때문에 빈천우척으로 살아가야 할 이유가 없습니다. 동시에 부귀복택에 처해서도 자기 본래의 진실을 잃지 않습니다.

이제는 경제의 진실에 입각하여 장재의 이야기를 분석하겠습니다. 부귀복택은 우리 몸의 진실입니다. 우리 스스로 자기 몸의 진실을 이해하는 사람은 자기 삶을 영원무한의 생명과 사랑으로 살아갑니다. 그런데 뜻밖에 이렇게 살아가는 사람은 모든 생명에 나아가 그것의 본질인 생명과 사랑을 확인하려고 합니다. 왜냐하면 자기 홀로 생명과 사랑으로 존재하는 것보다는 자기 이외 다른 몸에 나아가 그것의 생명과 사랑을 배우는 것이 자신의 영원무한을 보다 더 크게 하는 것이기 때문입니다. 이것이 가난(貧)의 본래적 개념입니다. 가난은 단순히 돈의 부재가 아닙니다. 생명과 사랑으로 존재하는 자기가 세상의 모든 것에 나아가 생명과 사랑을 이해하는 마음입니다.

이 마음으로 세상의 모든 몸을 만나는 사람은 뜻밖에 모든 몸 위에 군림하는 것이 아니라 모든 몸 아래에 처합니다. 왜냐하면 몸 그 자체의 진실로서 물자체는 몸의 현상에 있지 않으며 몸을 둘러싼 모든 현상이 사라진 자리에 있기 때문입니다. 이로부터 우리가 몸의 현상이 아닌 물자체 인식을 추구하면 할수록 몸의 겉모습 같은 현상에 눈이 밝은 것이 아니라 몸 그 자체의 진실에 생각이 밝게 됩니다. 그 결과 우리는 우리 자신과 모든 몸이 본래 하나인 신의 몸에 고유한 본성으로서 영원무한의 생명과 사랑을 이해합니다. 이렇게 생명과 사랑의 진실을 이해하는 사람에게는 눈에 보이는 모든 몸이 신의 몸입니다. 이 사실을 인식하는 사람은 사람 가운데 가장 낮은 자리에 처합니다. 모든 사람을 생명과 사랑으로 존중합니다.

이렇게 몸의 진실을 이해하는 사람은 세상 모든 사람들이 자기의 이해와 동일한 방식으로 세상의 모든 몸을 이해하기를 욕망합니다. 왜냐하면 자기 홀로 몸의 진실을 이해하는 것보다는 모든 존재가 모든 몸의 진실을 이해하는 것이 보다 더 큰 행복이기 때문입니다. 일례로 자기 혼자 생명과 사랑의 진실을 이해하는 반면 모든 사람들이 생명과 사랑을 부정하거나 어기는 데에서 행복을 확인한다면, 자기의 행복은 너무나 쉽게 파괴됩니다. 그러나 모든 사람이 몸의 진실 안에서 생명과 사랑만으로 서로를 지키며 사랑하면, 생명과 사랑의 든든한 울타리 안에서 우리 모두는 무한한 방식으로 무한하게 교차할 수 있습니다.

우리가 이와 같은 방식으로 살아가면, 경제는 반드시 무궁무진하게 발전하게 되어 있습니다. 경제의 시작은 '시장'입니다. 시장이 형성되지 않으면 경제는 절대적으로 발전할 수 없습니다. 왜냐하면 시장의 기원은 각자가 좋아하는 것을 즐겁게 함으로써 잉여산물이 나왔을 때 각각의 잉여산물을 한 장소에 모여서 나누는 것이기 때문입니다. 그런데 여기는 한 가지 필수 조건이 있습니다. 사람들이 한 자리에 모여서 자신이 소유한 좋은 것을 나눌 때에는 서로에 대한 믿음이 필수적입니다. 이 믿음은 당연히 생명과 사랑입니다. 이 믿음이 없으면 절대적으로 시장은 형성되지 않으며, 그로부터 경제 자체가 생겨날 수 없습니다.

우리가 생명과 사랑 안에서 각자가 좋아하는 것을 열심히 하고,

그로 인하여 잉여산물이 발생하게 되면, 우리는 다시 생명과 사랑 안에서 각자의 잉여산물을 교환할 수 있게 됩니다. 이 믿음이 분명할 때 시장은 형성되며, 그로부터 경제는 무한히 발전할 수 있게 됩니다. 우리는 이 지점에서 감정과학이 이해하는 경제의 진실이 경제의 현상을 올바르게 가꾼다는 것을 확인할 수 있습니다. 이러한 진리를 아는 사람은 모든 사람들이 감정과학의 진리에 참여함으로써 경제의 무한한 진보가 이루어지기를 희망합니다. 감정과학의 진리에 참여하지 못하는 사람을 만나게 되면 근심걱정하지 않을 수 없습니다. 그들로 인해 경제가 쇠퇴할 것이기 때문에 그렇습니다.

이상의 논의들을 토대로 마르크스의 경제 이론에 대해서 잠깐 살펴보겠습니다. 노동에 대한 마르크스의 이해는 다음과 같습니다.

> 단순 노동력의 생산비는 '노동자의 생존 및 번식비'와 같다. … 이 생존 및 번식비의 가격이 임금을 형성한다. 이렇게 결정된 임금은 '최저임금'으로 불린다.
>
> -『임금 노동과 자본』
> (마르크스/ 박광순 옮김, 범우사, 2008, p.57.)

노동의 대가가 임금입니다. 그런데 마르크스에 의하면 임금은 "노동자의 생존 및 번식비"입니다. 이는 감정과학의 경제학과 근본적으로 다른 것입니다. 감정과학에 의하면 임금은 생명과 사랑을 나누는 기쁨입니다. 조금 전에 논의한 바와 같이 각자 자신의 생명과 사랑 안에서 자기가 좋아하는 일을 하면 그로부터 반드시 잉여산물이 나옵니다. 생명과 사랑의 결과입니다. 이 결과를 서로 나누면, 그것이 곧 임금입니다. 그렇기 때문에 감정과학이 이해하는 임금은 생명과 사랑을 서로에게 나누어 주는 것입니다. 물론 마르크스의 주장은 자신이 처한 경제 현상에 근거합니다. 지극히 당연한 것처럼 보이나 결정적으로 그가 간과한 것은 물자체의 진실입니다.

문제는 이러한 인식의 오류로 인하여 부귀와 빈천이 서로 갈등관계에 놓인다는 점입니다.

집이 크든 작든 그 주변에 있는 집들이 똑같이 작은 한, 그 집은 주거에 대한 사회적 요구를 모두 충족시킨다. 그러나 그 작은 집과 나란히 대저택이 지어지면, 그 작은 집은 오두막으로 쪼그라든다. 그리 되면 그 작은 집이 이제 그 거주자에게 유지해야 할 사회적 지위가 전혀 없거나 아주 보잘 것 없는 지위밖에 없다는 것을 명백히 밝혀준다.

- 『임금 노동과 자본』
(마르크스/ 박광순 옮김, 범우사, 2008, p.67.)

자본이 급속히 증대되면 임금도 올라갈지 모르지만, 자본의 이윤 쪽이 비교도 되지 않을 정도로 더 급속히 늘어난다. 노동자의 물질적 상태는 개선되지만, 그것은 그의 사회적 지위를 희생물로 삼은 것이다. 그와 자본가를 구분하는 사회적 심연이 넓어졌다.

- 『임금 노동과 자본』
(마르크스/ 박광순 옮김, 범우사, 2008, p.76.)

갑자기 부귀는 빈천을 천한 것으로 여기며 그에 대한 반동으로 빈천은 부귀를 시기하고 질투하게 됩니다. 비극은 여기에 그치지 않습니다. 전혀 생각하지 못한 비극이 발생합니다. 노동자들 사이에 갈

등이 생겨납니다.

> 분업과 기계의 사용이 확대될수록, 노동자 간의 경쟁이 그만큼 확대되고, 그들의 임금은 점점 줄어든다.
>
> > - 『임금 노동과 자본』
> > (마르크스/ 박광순 옮김, 범우사, 2008, p.89.)

이상의 논의들을 정리하면 다음과 같습니다.

> 결국 마르크스의 말을 따라가 보면 끝없는 원망과 분열 밖에 없다. 노동자와 자본가 사이의 투쟁, 그리고 노동자 상호간의 투쟁. 인간 상호간에 느낄 수 있는 따뜻한 사랑과 평화를 찾아 볼 수 없다. 물론, 마르크스의 가장 큰 주제는 산업혁명 이후 근대 유럽의 현실을 고발하는 것이다. 그러나 학문의 본질은 고발과 선동이 아니다. 고발과 선동은 결국 살인과 전쟁으로 이어지기 때문에 학문이 될 수 없다.
>
> > - 『전쟁에 대한 철학적 탐구』(성동권, 부크크, 2024, p.142)

마르크스가 처한 경제 현상으로 보면, 그의 주장은 맞는 것 같습니다. 그러나 그의 주장을 따라서 열심히 공부한 결과는 무엇입니까? 서로 간의 전쟁과 불신입니다. 이렇게 경제를 하면 절대적으로 경제는 번영할 수 없습니다. 이 결론은 논리적으로 지극히 당연한 것입니다. 우리가 굳이 어려운 경제 이론을 배우지 않아도 쉽게 이해할 수 있습니다. 인간 서로가 생명과 사랑에 대한 믿음이 분명하지 않으면 인간은 절대적으로 교차할 수 없습니다. 시장이 자유롭게 돌아가지 않습니다. 그 결과는 당연히 경제의 번영과 진보가 아니라 쇠

락과 멸망입니다. 빈곤에 관하여 우리를 우척(憂戚)으로 끌고 가는 경제학이 마르크스의 경제학입니다.

끝으로 '자유주의' 경제학에 대한 간단한 논의로 이번 장을 마치겠습니다. 자유는 자기 본성의 필연성으로 살아가는 것입니다. 우리는 이 자유로 경제를 해야 합니다. 왜냐하면 자기 본성의 필연성을 이해하며 오직 이 이해만으로 경제를 할 때, 이때의 경제는 영원의 필연성으로 생명과 사랑에 대한 믿음 안에서 생명과 사랑만으로 이루어지기 때문입니다. 물론 현대 경제학이 이해하는 '자유주의'는 자본의 무한 축적을 위해서 모든 규제를 완화하거나 없애는 것입니다. 자본의 무한 축적은 지극히 당연한 것입니다. 그러나 이 목적을 위한 필수 조건은 감정과학을 연마함으로써 생명과 사랑의 진실을 이해하는 것입니다. 이때 비로소 자유주의 경제학은 성공합니다.

13장. 存吾順事
존 오 순 사

: 최고의 행복

【원문】

存吾順事, 沒吾寧也.
존 오 순 사   몰 오 녕 야

【감정과학의 분석】

존재 자체의 진실이 영원무한의 생명과 사랑이므로 '나'는 모든 일을 생명과 사랑으로 배워서 이해하며[存吾順事], '나'의 죽음 앞에서도 기분 좋게 '안녕'하고 숨을 거둘 수 있다[沒吾寧也].

엄마아빠의 이야기로 시작한 장재의 『서명』은 위의 이야기로 끝납니다. 크게 보면, 몸-생김의 진실로 시작해서 몸-놀이의 진실로 끝납니다. 엄밀히 말해서 '엄마아빠'의 존재는 엄마아빠 자신이 챙기는 것이 아니라 자식이 자기 존재의 근원에 대해서 생각할 때, 자명하게 자기 안에서 자기 스스로 엄마아빠의 존재를 영원의 필연성으로 확인합니다. 그렇기 때문에 물자체 인식은 자식 스스로 자기 존재를 영원의 필연성으로 정립한 엄마아빠의 존재를 자기 안에서 자명하게 이해하는 것입니다. 장재는 이 엄마아빠를 건곤(乾坤)으로 정의합니다. 이 존재에 대한 자기이해 안에서 자식은 자기 생명의 진실을 명석판명하게 이해합니다.

생명이 생명을 낳습니다. 생명을 낳는 생명은 영원의 필연성으로 존재하기 때문에 이 생명은 영원합니다. 동시에 이 생명은 무한한 방식으로 무한한 생명을 낳기 때문에 영원으로 존재하는 생명은 무한합니다. 무생물도 마찬가지입니다. 그것도 생겨난 것인 이상 생명으로 존재합니다. 생물과 무생물을 불문하고 자신의 몸으로 존재하는 모든 것은 자기 존재에 관하여 '필연성'(命)을 따라서 '생겨난'(生) 것이므로 '생명'(生命)입니다. 생명 아닌 것으로 존재하는 것은 절대적으로 없습니다. 그렇기 때문에 생겨난 생명은 영원무한의 생명에 의해서 생겨난 것입니다. 한편, 생명이 생명을 낳는 것은 사랑이기 때문에, 생명을 낳는 영원무한의 생명은 동시에 영원무한의 사랑입니다. 따라서 다음과 같은 결론은 필연적입니다.

영원무한의 생명과 사랑으로 존재하는 생명이 영원의 필연성으로 존재하며, 이 생명으로부터 무한한 방식으로 무한한 생명이 무한하게 생겨나고 활동한다. 따라서 무한한 생명은 영원무한의 생명과 사랑 안에 존재한다.

위와 같이 생명에 고유한 진실을 확인하면, 영원무한의 생명과 사랑은 자연을 초월하여 존재하지 않습니다. 자연 밖에 다른 것은 존재하지 않으며, 자연이 곧 영원무한의 생명과 사랑입니다. 자연 안에 존재하는 무한한 생명의 몸들 각각이 영원무한의 생명과 사랑을 증명합니다. 왜냐하면 그 모든 무한한 생명들은 단 하나의 예외 없이 영원의 필연성 안에서 영원무한의 생명과 사랑에 의해서 생겨나고 활동하도록 결정되어 있기 때문입니다. 생겨난 생명에 고유한 존재 그 자체의 진실이며, 동시에 생겨난 생명의 활동에 고유한 진실입니다. 따라서 만약 우리가 신의 형상이나 얼굴을 보고 싶다면, 거울을 들어 우리 자신의 얼굴을 보면 됩니다. 문을 열고 나가 자연의 모든 몸을 보면 그 모든 몸이 신의 형상입니다.

우리 자신의 얼굴이 신의 얼굴입니다. 우리 가족의 얼굴이 신의 얼굴입니다. 우리 친구의 얼굴이 신의 얼굴입니다. 우리에게 소중한 사람의 얼굴이 신의 얼굴입니다. 불천지 원수의 얼굴이 신의 얼굴입니다. 산천초목과 동물이 모두 신의 형상입니다. 얼굴을 스치는 바람도 신의 형상이며, 바람을 타고 오는 꽃향기도 신의 형상입니다. 코로나도 신의 형상이며, 자동차에서 나오는 매연도 신의 형상입니다. 신의 존재가 자연 전체이며, 동시에 자연을 구성하는 모든 것입니다. 우리가 우리 자신의 몸에 나아가 생김의 진실을 이해하고, 그에 기초하여 자연을 구성하는 모든 몸에 고유한 생김의 진실을 생명에 고유한 인과의 필연성에 근거하여 이해하면 명백하게 이해합니다.

위와 같이 존재에 고유한 진실을 이해하면, 우리가 겪는 모든 일에 대해서 우리는 참답게 이해할 수 있습니다. 참으로 존재하는 것은 영원무한의 생명과 사랑입니다. 이것에 의해서 모든 것이 생겨나고 활동하기 때문에 모든 일들은 절대적으로 생명과 사랑 안에 있습니다. 이 사실에서 보면 '나쁜 일' 또는 '악한 일'은 없습니다. 왜냐하면 신이 곧 자연이기 때문입니다. 영원무한의 생명과 사랑 안에서 모든 것이 생겨나고 활동하기 때문에 본래부터 악한 것은 없으며,

따라서 악한 것이 하는 악행도 본래 없습니다. 진실로 존재하는 것은 순수지선 그 자체인 영원무한의 생명과 사랑이며, 오직 이 진실 안에서 모든 일들이 생겨납니다.

이 사실을 서양 중세의 철학자 보이티우스는 다음과 같이 확인했습니다.

> 그렇다면 아무것도 못할 것이 없는 신이 그것을 행할 수 없다니 악이란 결국 존재하지 않는 것이로구나.
> - 『철학의 위안』(보이티우스/ 정의채 옮김, 바오로딸, 2017, p.129.)

이 사실을 서양 근대 철학자 스피노자는 자신의 저서 『윤리학』에서 다음과 같이 확인합니다.

> <u>자연 안에는 자연의 결함이나 잘못을 탓할 만한 어떠한 일도 발생하지 않는다.</u> 왜냐하면 자연은 항상 동일하므로 그 자신의 힘과 행동 능력 또한 어디서나 동일하기 때문이다. 즉, 자연 안에서 생겨나는 모든 몸 그리고 그 모든 몸이 어느 한 형태에서 다른 형태로 변화하는 것은 자연의 법칙과 규정에 따라서 어디서나 항상 동일하다. 따라서 자연의 모든 몸의 생김과 그것의 변화에 고유한 본성을 이해하기 위해서는 자연의 법칙과 규정에 기초해야 한다. 그러므로 증오, 분노, 질투 등의 감정은 그 자체로 볼 때 이러한 자연의 필연성과 힘에 따라서 발생한다. 이러한 감정들은 자기 존재에 고유한 특정하고 명확한 원인으로 생겨나며, 그러한 한에서 그 각각의 원인으로 이해되어야 한다. 따라서 감정은 자연의 모든 것과 마찬가지로 우리가 반드시 알아야 하는 본성의 필연성으로 존재한다. 그렇기 때문에 이러한 본성을 사색하는 것만으로 우리는

기쁨을 누리게 된다.

- 『욕망의 이성』(성동권, 부크크, 2023, p.31.)

핵심 되는 부분을 강조하기 위하여 밑줄로 표시하였습니다. 진실로 존재하는 것은 영원무한의 생명과 사랑이기 때문에 자연 안에서 발생하는 모든 일은 영원무한의 생명과 사랑 안에 있습니다. 오직 '순수지선'[무극이태극/ 실체/ 신]만이 존재하기 때문에 모든 사건도 '순수지선'으로 존재합니다. 악한 것은 존재하지 않으며, 따라서 악한 일은 본래 없습니다. 우리의 논의가 이 지점에 이르면, 반드시 다음과 같은 질문을 해야 합니다. 보이티우스는 다음과 같이 말합니다.

> 당신은 정하신 바 목적에 따라
> 이 우주만물을 지배하시나
> 오직 인간 행동만에
> 합당한 제재를 아니 하시네.
> 어찌하여 운명은 이다지도
> 덧없이 변절하고
> 중한 죄인에게나 내려진 무거운 벌이 죄없는 사람을 괴롭히는가.

- 『철학의 위안』
- (보이티우스/ 정의채 옮김, 바오로딸, 2017, p.31.)

오직 순수지선이 존재하므로 순수지선의 일만 발생해야 하는데, 우리 주위를 둘러보면 온통 악한 일들로 가득한 것 같습니다. 우리 자신이 뜻밖에 악행을 할 때가 있고, 얼마든지 우리가 그 불행을 당할 수 있습니다. 자연은 그런대로 순수지선 같은데, 인간 세상은 생명과 사랑을 너무나 당연하다는 듯이 어기고 있습니다. 참고로 중세 말기의 사회상을 보면, 악행은 당연한 것으로 그려지고 있다는 것을 알 수 있습니다. 다음의 이야기는 세르반테스의 『유리학사』 일부분입 니다.

> 그날 밤 그들은 안테케라에 도착했다. 토마스는 그곳에서 장교들의 권위, 상대하기 까다로운 몇몇 대장들, 여인숙 주인들의 장삿속 빠른 호 의, 돈을 지불하는 사람들의 잇속과 속임수, 주민들의 불평, 사영권 되 팔기, 신참자들의 건방짐, 손님들 간의 싸움질, 필요 이상의 군용 물자 를 청구하는 것 등을 경험하게 되었다. 그리고 마지막 경험으로 그가 눈 여겨보고 나쁘다고 생각한 이 모든 행위들을 할 수밖에 없는 절실하기 까지한 필요성에 대해서도 배웠다.
>
> - 『유리학사』
> - (세르반테스/김춘진 옮김, 문학과지성사, 2023, p.14.)

유리학사는 "그가 눈여겨보고 나쁘다고 생각한 이 모든 행위들을 할 수밖에 없는 절실하기까지한 필요성에 대해서도 배웠다."라고 말합니다. 악한 행동을 얼마든지 할 수 있다는 생각을 확인할 수 있습니다. 그 런데 이 생각은 우리 시대 사람들도 잘 하는 것 같습니다. 얼마든지 생명과 사랑을 어길 수도 있다는 생각을 합니다. 그 생각으로부터 어떤 일이 발생하는지는 말할 필요도 없습니다. 여기에서 우리가 생 각해 보면, 악행은 자연의 진실도 아니거니와 우리 인간의 진실이 아님을 알 수 있습니다. 특히 논의의 초점을 우리 인간에 두어 생각 해 보면, 악행의 원인은 존재의 진실이나 존재의 결함이 아닙니다. 존재 스스로 자기의 진실을 이해하지 못한 데에 있습니다.

우리 스스로 자기 몸에 고유한 진실을 이해하면, 자기이해 안에서 영원의 필연성으로 존재하는 진실을 이해합니다. 영원무한의 생명과 사랑이 그것입니다. 이 말은 모든 존재는 자기 존재에 관하여 영원의 필연성으로 생겨났기 때문에 우리가 그 모든 존재에 나아가 그에 고유한 본성의 필연성을 이해하면, 그 이해가 곧 영원의 필연성안에서 생명과 사랑입니다. 이 이해를 결여하면, 생명과 사랑은 우리에게 의무론으로 강제되거나 의지력으로 이행해야 하는 것이 됩니다. 그러나 우리 몸을 비롯해서 자연의 모든 몸을 현상이 아닌 본성의필연성으로 이해하면, 그 즉시 생명과 사랑입니다. 우리는 생명과 사랑 이외 그 어떤 것도 생각하지 않습니다.

악한 것, 그리고 그것이 하는 악행은 없습니다. 엄격히 말해서 우리를 기분 나쁘게 하는 것은 생명과 사랑을 어기는 생각이나 그로인한 행동입니다. 그 나쁜 생각이나 행동을 우리는 악으로 규정할뿐입니다. 그렇기 때문에 엄격히 말해서 악의 기원은 생명과 사랑에대한 인식의 오류입니다. 직설적으로 말하자면, 자기 스스로 자기 생명의 진실에 대해서 분명하게 인식하지 못했기 때문에 발생하는 인식의 오류입니다. 이러한 관점에서 문제 해결의 방법은 지극히 간단합니다. 자기 스스로 자기 몸의 진실을 명백하게 이해하는 것입니다. 자기 스스로 자기 생명의 진실이 영원무한의 생명과 사랑이라는 것을 이해하면, '다 좋은 세상'의 진리가 드러납니다.

모든 일은 다 좋은 일이며, 나쁜 일은 없습니다. 나쁜 일이 있다고 생각할 때에는 그 일에 나아가 왜 그런 일이 발행하는지 배워서이해해야 합니다. 그렇게 하면, 나쁜 일은 본래 없다는 것을 확인합니다. 이때에는 그 일을 한 사람 스스로 자신의 잘못을 뉘우칠 수 있습니다. 또는 나쁜 일이라고 판단한 사람이 자신의 잘못을 뉘우칠 수 있습니다. 결국 '다 좋은 일'이라는 믿음 안에서 나쁜 일에 대해서 우리가 배우면, 그것은 제거하거나 부정해야 하는 대상이 아니라 우리 모두가 함께 배우는 소중한 자리입니다. 이때 뉘우친다는 것은 진정으로 우리를 자유롭게 하며 동시에 우리를 최고의 완전한 행복으로 인도합니다.

그러므로 장재가 『서명』을 다음과 같은 이야기로 마무리하는 것은 지극히 당연합니다.

존재 자체의 진실이 영원무한의 생명과 사랑이므로 '나'는 모든 일을 생명과 사랑으로 배워서 이해하며, '나'의 죽음 앞에서도 기분 좋게 '안녕'하고 숨을 거둘 수 있다.

영원무한의 생명과 사랑 안에서 오직 생명과 사랑만이 존재합니다. 이 사실에 입각하여 '다 좋은 일'이며 '다 좋은 세상'입니다. 다 좋은 세상에서 숨을 거두는 것은 영원의 생명과 사랑입니다.

14장. 論曰天地
논 왈 천 지

: 내 몸의 본성

이번에 우리가 공부하는 '14장'은 『서명』(西銘)의 핵심을 요약합니다. 장재의 『서명』은 '13장'에서 끝납니다. 이번 14장과 마지막 15장은 후대의 학자들이 『서명』에 관하여 논의한 것을 정리한 부분입니다. 우리는 이번 장을 세 부분으로 나누어 살펴보겠습니다. 첫번째, 사랑의 진실입니다. 공사(公私)를 구분하는 것은 우리에게 지극히 당연하고 익숙한 개념이지만, 성리학의 감정과학에 의하면 엄격히 말해서 공사의 구분은 없습니다. 오직 '공'(公)만 있습니다. 지극히 사사로운 '나'이지만, 동시에는 그 '나'는 세상 모든 존재와 본래 하나인 단 하나의 실체(公)입니다. 이 주제는 '사랑'에 대한 우리의 감정에 기초하여 생각하면 쉽게 이해할 수 있습니다. 부부 사이의 사랑(sex)에 공사(公私)의 구분이 성립할까요?

두 번째, 사랑의 진실로부터 인의(仁義)의 개념이 무엇인지 알 수 있습니다. 특히 이 주제는 의(義)에 직결됩니다. 우리는 일반적으로 '의'(義)를 행동에 대한 가치 판단 또는 의무로 주어진 것을 이행하는 것으로 이해하지만, 사실 그렇지 않습니다. 인(仁)에서 유래하는 모든 행동이 사실 의(義)입니다. 왜냐하면 인간을 비롯해서 자연의 모든 것은 자신의 몸으로 행동하며, 우리가 몸의 진실을 공사(公私) 무간(無間)의 사랑(仁)으로 이해하는 한에서 몸의 모든 행동은 영원무한의 생명과 사랑을 본성으로 갖기 때문입니다. 이 사실을 모르면 불인(不仁)이며, 당연히 불인으로 하는 모든 행동은 불의(不義)입니다. 따라서 공(公)에 근거하여 인의(仁義)를 이해해야 합니다.

셋 번째, 우리가 '공'(公)과 '인의'(仁義) 사이에 놓인 필연성을 확인하면, 가장 중요한 것은 인간의 정신력입니다. 이때의 정신력은 의지력과 혼동될 수 없습니다. 정신은 생각하는 것이기 때문에 정신력은 정신 자신에 고유한 본성인 사유에 근거하여 자기 스스로 자기 몸에 대한 자기이해를 형성합니다. 이 이해가 최고의 완전성 그 자체의 정신력입니다. 이 지점에서 정신은 자기 몸을 향한 자기이해만을 따라서 사유하고 활동할 것이기 때문에 정신력은 의지력과 다르지 않습니다. 그러나 정신력 앞에 의지력을 두면, 정신은 더 이상 생각하지 않습니다. 어떤 목적을 향해 자신의 몸을 강제하기 때문에 몸에 대한 이해를 결여하게 됩니다. 인간의 정신력이 지(知)입니다.

이하에서는 차례대로 살펴보겠습니다.

① 공(公)

장재(張載: 1020년 ~ 1077년)는 『서명』의 핵심을 '리일분수'(理一分殊)로 설명하지 않았습니다. 이 개념어는 그와 동시대를 살았던 북송 시대의 성리학자 정이(程頤: 1033년 ~ 1107년)의 요약입니다. 우리는 리일분수를 통해서 몸의 진실을 간단하게 이해할 수 있습니다. 리일(理一)은 자연 그 자체의 진실임과 동시에 자연을 구성하는 모든 몸 그 자체에 고유한 본성의 필연성입니다. 생겨난 것은 생겨나게 한 원인의 존재를 필연적으로 증명합니다. 생겨나게 한 것이 반드시 존재하기 때문에 그로부터 필연적으로 생겨난 것이 존재합니다. 이렇게 생겨난 것에 고유한 본성의 필연성을 생각해 보면, 이 법칙을 부정하고 생겨난 것은 절대적으로 없습니다.

우리가 이러한 인식을 형성하게 되면, 존재하는 모든 것에 대해서 함부로 할 수가 없습니다. 우리의 감각에 의해서 얼마든지 존재하는 것을 좋은 것(善)과 나쁜 것(惡)으로 판단하거나 해석할 수 있지만, 감각의 대상 및 그것을 감각하는 자신은 자기 존재에 관한 한 절대적인 필연성 안에 있습니다. 오직 이 사실에 근거하여 존재하는 것은 자기 안에 그 어떤 하자나 흠결을 가지고 있지 않습니다. 영원의 필연성 안에서 오직 영원의 필연성만을 따라서 생겨나고, 그 생김으로부터 활동합니다. 그 어떤 것도 이 사실 밖에 존재하지 않기 때문에 좋거나 나쁜 것은 절대적으로 없습니다. 모든 것은 영원의 필연성 안에서 '순수지선'으로 존재합니다.

이렇게 존재하는 모든 것을 그 자체에 고유한 존재의 필연성에 근거하여 순수지선으로 이해하는 정신을 조선시대 성리학자이면서 동시에 감정과학자인 퇴계는 '경'(敬)이라는 단 하나의 개념으로 요약했습니다. 다시 강조하지만, 우리는 얼마든지 우리 자신을 비롯해서 자연의 모든 몸을 감각적 현상으로 바라보며 그에 대한 가치를 판단할 수 있습니다. 몸의 감각으로 살아가기 때문에 지극히 당연한 것입니다. 이 사실을 부정한다는 것은 몸의 감각을 부정하는 것이며, 이는 끝내 몸을 부정하는 자살로 우리의 정신을 심각하게 왜곡시킵니다. 이 문제를 해결하기 위해서 등장하는 것이 '경'(敬)입니다. 존재 그 자체에 고유한 진실에서 보면 존재하는 모든 것은 어떤 현상에 상관없이 영원의 필연성으로 '다 좋은 것'이 분명합니다.

존재 그 자체의 진실이 영원의 필연성으로 다 좋은 것이라는 사실이 '리일'(理一)입니다. 이 사실이 우리의 정신 안에 분명할 때, 우리는 어떻게 사랑을 실천할 수 있을까요? 이 물음에 대한 답이 분수(分殊)입니다. 우리 모두를 비롯해서 자연을 구성하는 모든 몸이 리일(理一) 안에서 최고의 완전성 그 자체로 존재합니다. 그러나 자연 안에서 인간 세상과 동식물의 세상은 서로 다릅니다. 인간의 세상도 마찬가지입니다. 나라와 나라 사이가 서로 다르며, 한 나라 안에서 지역이 서로 다릅니다. 같은 지역이라 하더라도 동네가 다르며, 동네 안에서도 가정이 서로 다릅니다. 한 가정 안에서도 가족 간에 서로 다릅니다.

이처럼 리일(理一) 안에서 무한한 것이 무한한 방식으로 다르게 드러납니다. 그렇기 때문에 엄밀히 말해서 순수지선은 리일로 존재하지 않습니다. 순수지선으로 존재하는 리일이 분수를 통해서 무한한 순수지선으로 존재합니다. 그렇다면 무한한 순수지선은 어떻게 서로를 사랑할 수 있을까요? 자기에게 공간과 시간적으로 가까운 것을 순수지선으로 사랑하면 됩니다. 이것이 분수입니다. 모든 것은 순수지선으로 존재하기 때문에 모든 것은 자기와 가까운 것을 순수지선으로 사랑하면 됩니다. 즉, 자기와 가까운 것을 리일의 필연성 안에서 순수지선으로 사랑하는 것입니다. 이렇게 사랑하면 가까운 것으로부터 먼 것에 이르기까지 사랑은 저절로 이루어집니다.

리일분수로 요약되는 『서명』은 사랑의 진실이며 동시에 사랑의 방법입니다. 주자는 다음과 같이 이 사실을 확인합니다.

[4-14-1 『완역 성리대전』]

蓋以乾爲父, 以坤爲母, 有生之類, 無物不然, 所謂'理一'也. 而人物之生, 血脈之屬, 各親其親, 各子其子, 則其分亦安得而不殊哉? 一統而萬殊, 則雖天下一家, 中國一人, 而不流於兼愛之蔽. 萬殊而一貫, 則雖親疎異情, 貴賤異等, 而不梏於爲我之私, 此「西銘」之大指也. 觀其推親親之厚, 以大無我之公, 因事親之誠, 以明事天之道, 蓋無適而非所謂'分立而推理一'也. 夫豈專以"民吾同胞, 長長幼幼"爲'理一', 而必黙識於言意之表, 然後知其分之殊哉? 且所謂"稱物平施"者, 正謂稱物之宜, 以平吾之施云爾. 若無稱物之義, 則亦何以知夫所施之平哉? 龜山第二書蓋欲發明此意, 然言不盡而理有餘也. 故愚得因其說而遂言之如此, 同志之士, 幸相與折衷焉.

건을 아버지로 삼고 곤을 어머니로 삼은 것은 생명이 있는 부류는 그것들마다 그러하지 않음이 없으니, 이른바 '리일(理一)'이다. 그러나 인간과 만물이 생겨날 때에는 혈맥에 속한 것들이 각각 그 부모를 부모로 친애하고, 각각 그 자식을 자식으로 사랑하니, 나누어진 것이 또한 어찌 다르지 않을 수 있겠는가? 하나로 통합되면서도 만 가지로 다르다면 비록 세상 사람들이 한 집안이고 나라 안의 사람들이 한 사람이라고 할지라도, 겸애(兼愛)의 폐해로 흐르지 않는다. 만 가지로 다르면서도 하나로 관통된다면 비록 친근함과 소원함이 다른 감정이고 귀함과 천함이 다른 등급일지라도, 자신만을 위하는 사사로움에 구애되지 않으니, 이것이 「서명」의 큰 뜻이다.

모든 존재에 공통되는 단 하나의 필연성으로서 '보편적 진리'는 '리일'(理一)입니다. 이 진리 안에서 무한한 존재가 생겨난다는 사실을 이해하면, 마침내 서로 다름이 존경받습니다. 서로 다른 것이 아무리 감각적으로 싫은 것이라고 할지라도 그곳에는 그렇게 되는 필연성이 있기 때문에 우리가 그 필연성을 이해하는 한에서 우리는 그 감각을 순수지선으로 존경합니다. 우리 각자가 자신의 몸으로 살아가면서 수많은 감각을 경험할 때, 이렇게 자신의 감각을 이해하면 절대적으로 생명과 사랑을 지키며 유지할 수 있습니다. 이 사랑은 서로에게 무관심한 것이 아닙니다. 서로 다름을 순수지선 안에서 이해함으로써 순수지선에 대한 믿음으로 서로를 배워서 사랑하는 것입니다.

겸애(兼愛)는 사랑의 진실이 아니라 사랑에 대한 인식 오류입니다. 엄격히 말해서 '사랑'은 '인식'입니다. 그리고 이 인식은 감각으로 지각되는 현상에 대한 좋음과 싫음의 인식이 아니라 감각되는 대상 그 자체에 고유한 본성의 필연성을 이해함으로써 그 존재를 영원의 필연성 안에서 순수지선으로 이해하는 것입니다. 이 이해가 최고의 완전한 사랑인 이유는 오직 이 이해만이 존재를 영원무한의 생명과 사랑으로 확인하기 때문입니다. 어떤 것을 영원의 필연성 안에서 순수지선으로 이해하는 것 이상으로 더 큰 사랑은 없습니다. 이 사랑이 분명한 사람은 서로 다른 것을 '겸'하여 사랑하지 않으며, 그 각각의 다름을 최고의 완전성인 순수지선으로 이해합니다.

우리 모두가 이러한 방식으로 사랑하면, 다음과 같은 결론은 필연적입니다. "만 가지로 다르면서도 하나로 관통된다면 비록 친근함과 소원함이 다른 감정이고 귀함과 천함이 다른 등급일지라도, 자신만을 위하는 사사로움에 구애되지 않으니, 이것이 「서명」의 큰 뜻이다."라고 했습니다. 서로 다름의 순수지선을 이해하기 위해서 자신의 공간과 시간을 떠날 필요가 전혀 없습니다. 우선 자신의 몸이 시시각각 다릅니다. 자신의 몸을 순수지선으로 이해할 수 있어야 합니다. 구체적으로 자기 몸의 순간 변화인 감정을 순수지선으로 이해하는 것입니다. 이 이해에 기초하여 순수지선의 이해를 자신과 가까운 가족과 친구 등으로 확충해 나아가야 합니다. 이것으로 '다 좋은 세상'은 즉시 실현됩니다. '다 좋은 세상'은 목적이 아니라 본래의 진실입니다.

② 인의(仁義)

앞에서 살펴본 공(公)의 개념에 근거하여 우리는 인의(仁義)가 무엇인지 알 수 있습니다. 자연 안에 무한한 방식으로 무한하게 존재하는 몸은 서로 다르지만 본래 하나의 몸입니다. 영원무한의 생명과 사랑으로 존재하는 단 하나의 몸이 진실로 존재하며, 이 몸 안에 자연을 구성하는 무한한 몸이 존재합니다. 영원무한의 생명과 사랑으로 존재하는 몸이 자연 그 자체입니다. 서로 다른 몸이 본래 하나의 몸입니다. 이 주제는 수학의 집합으로 보다 쉽게 이해할 수 있습니다. 예를 들어서 짝수의 집합이 있다고 상상해 봅시다. 짝수에 고유한 본성의 필연성은 '2로 나누어떨어지는 정수'입니다. 이 안에 짝수는 얼마나 존재할 수 있을까요? 당연히 무한히 존재합니다. 그러나 무한히 다른 짝수는 짝수 그 자체의 본성 안에서 하나입니다. 이 비유를 통해서 우리는 몸의 진실을 알 수 있습니다.

짝수에 고유한 단 하나의 본성 안에 무한한 짝수가 존재하는 것과 같이 몸 그 자체에 고유한 본성으로서 단 하나의 실체로 존재하는 영원무한의 생명과 사랑이 존재하며 그 안에 무한한 몸이 그 본성을 따라서 존재합니다. 이것으로 우리는 인의(仁義)를 이해할 수 있습니다 여기에 짝수 2와 4가 있다고 상상해 봅시다. 2는 4보다 작습니다. 당연히 4는 2보다 큽니다. 그러나 이 둘은 짝수에 고유한 본성에서 보면 본래 하나의 몸입니다. 4는 2가 될 필요가 없으며, 2를 작은 것으로 비하할 일이 없습니다. 마찬가지로 2는 4가 될 필요가 없으며, 4가 자기보다 크다고 해서 부러워할 일이 없습니다. 이둘은 단 하나의 진실 안에서 서로의 다름을 즐길 수 있습니다. 우리의 몸에 대해서도 같은 방식으로 이해할 수 있습니다.

우리의 감각에 의존하여 보면, 얼마든지 아름다운 얼굴과 그렇지 않은 얼굴이 있을 수 있습니다. 부자로 태어난 사람이 있을 수 있고, 가난하게 태어난 사람이 있을 수 있습니다. 건강하게 태어난 사람이 있을 수 있고 약하게 태어난 사람이 있을 수 있습니다. 부모의 얼굴을 볼 수 있는 자식으로 태어난 사람도 있을 수 있고, 그렇지 않은 분도 있을 수 있습니다. 나보다 먼저 태어난 사람이 있을 수 있고, 나보다 늦게 태어난 사람이 있을 수 있습니다. 그러나 이 모든 다름에도 불구하고 우리 모두는 몸으로 생겨나서 몸으로 존재하기 때문에 몸 그 자체의 진실에서 보면 우리는 본래 하나의 몸으로 존재합니다. 즉, 영원무한의 생명과 사랑으로 존재하는 몸 안에서 무한한 몸이 생겨나고 활동합니다.

우리가 이러한 방식으로 몸의 다름과 같음을 확인하고 나면, 인(仁)은 서로 다른 몸이 본래 하나의 몸이라는 사실을 확인하는 것입니다. 몸이 존재한다는 것은 몸의 욕망이 존재한다는 것이며, 이로부터 이 몸에 고유한 욕망의 진실은 서로 다른 몸이 본래 하나의 몸이라는 사실을 이해하고 지키는 것입니다. 만약 이 사실을 부정하면 본래 하나의 몸은 더 이상 존재할 수 없게 되며, 이는 욕망에 고유한 자기보존의 욕망을 부정하는 것이 됩니다. 따라서 본래 하나의 몸이 영원의 필연성으로 존재한다는 사실로부터 이 몸에 고유한 욕망은 서로 다른 몸이 본래 하나의 몸으로 존재하고 있다는 사실을 확인하는 것이 인식의 핵심입니다. 이 확인이 아니면 그 즉시 본래 하나의 몸은 존재하지 않는 것이 되므로 욕망의 진실에 어둡게 되는 것은 당연합니다.

이 욕망은 서로 다른 몸이 본질에 있어서 본래 하나라는 사실을 확인했기 때문에 존재합니다. 이 사실로부터 욕망은 서로 다른 몸을 무한한 방식으로 무한하게 긍정합니다. 왜냐하면 많은 몸 중에서 어느 한 부류에 속한 몸만을 하나의 몸으로 확인하면, 그 하나의 몸은 영원무한의 몸이 아니기 때문입니다. 그에 속하지 않은 수많은 몸이 존재합니다. 이 주제는 어려울 수 있지만, 앞에서 예로 든 짝수의 집합을 생각해 봅시다. 짝수의 집합에 들어가지 않는 홀수의 집합이 존재한다는 사실은 짝수의 영원무한을 제한합니다. 이때 짝수와 홀수에 공통된 성질로서 정수를 확인하면, 짝수와 홀수는 서로 유한하지만 단 하나의 실체로 존재하는 정수를 구성하는 것이 됩니다. 정수 안에서 짝수와 홀수는 본래 하나이지만, 동시에 서로 다른 것입니다.

같은 방식으로 몸을 이해할 수 있어야 합니다. 단 하나의 몸에 고유한 욕망의 진실은 자기 몸의 영원무한을 확인하기 위해서 무한히 다른 모든 몸에 고유한 단 하나의 본성을 이해하려고 합니다. 그것으로 단 하나의 몸에 고유한 욕망은 자기 몸의 존재를 확인할 수 있습니다. 이 사실로부터 단 하나의 몸에 고유한 욕망은 무한한 방식으로 무한하게 존재하는 몸에 나아가 그 자체에 고유한 본성을 우연이나 가능이 아닌 영원의 필연성으로 배워서 이해하기를 욕망합니다. 왜냐하면 이 사실을 확인하지 않으면 단 하나의 몸에 고유한 본성으로서 영원무한의 필연성은 즉각 부정되며, 이로부터 다 하나의 몸은 존재할 수 없기 때문입니다. 모든 몸에 고유한 영원무한의 필연성이 단 하나의 몸에 고유한 본성입니다.

이 본성이 '인'(仁)입니다. '리일'(理一)이 '인'(仁)입니다. 단 하나의 몸이 진실로 존재한다는 사실이 '인'이며 '리일'입니다. 이 사실을 지키는 욕망은 앞에서 언급한 바와 같이 무한한 방식으로 무한하게 존재하는 모든 몸에 나아가 그에 대한 이해를 감각적 현상이 아닌 그 자체의 영원무한의 필연성으로 이해하는 것이라고 했습니다. 이 이해가 '의'(義)입니다. 다름에 나아가 다름에 고유한 본성을 영원무한의 필연성으로 이해하는 것입니다. 이 이해로부터 서로 다른 몸은 서로 다름을 존중받으면서 동시에 자기 본래의 진실로서 단 하나의 몸을 지킬 수 있게 됩니다. 그 결과 단 하나의 몸 안에 무한한 몸이 존재한다는 사실을 지킬 수 있게 되며, 이로부터 서로 다른 몸은 자연스럽게 자신의 서로 다름을 존중 받을 수 있습니다.

단 하나 안에서 무한한 다름. 이 사실을 이해하고 지키는 것이 인의(仁義)입니다. 이 사실을 밝히는 철학 문서가 『서명』이며, 우리가 이 문서를 감정과학으로 연구하는 이유입니다. 감정과학은 단 하나의 감정인 영원무한의 생명과 사랑 안에 무한한 감정이 무한한 방식으로 무한하게 존재하고 있다는 사실을 확인하는 것입니다. 이 확인이 인의(仁義)이며, 인의를 실천하는 것입니다. 이 사실을 정이(程頤)는 다음과 같이 확인합니다.

[4-14-2-1 『완역 성리대전』]
程子曰：“前所寄『史論』十篇，其意甚正. 才一觀，便爲人借去. 俟更子細. 「西銘」之論則未然. 橫渠之言誠有過者，乃在『正蒙』. 「西銘」之爲書，推理以存

義, 擴先聖所未發, 與孟子'性善'·'養氣'之論同功. 二者亦前聖所未發, 豈墨氏之比哉?「西銘」明'理一而分殊', 墨氏則二本而無分. '老幼及人', '理一'也; 愛無差等, '本二'也. '分殊'之敝, 私勝而失仁; 無分之罪, 兼愛而無義. 分立而推'理一', 以正私勝之流, 仁之方也. 無別而迷兼愛, 至於無父之極, 義之賊也. 子比而同之過矣. 且謂'言體而不及用', 彼欲使人推而行之, 本爲用也, 反謂'不及', 不亦異乎?"

정자(程子 : 程頤)가 말했다. "이전에 부친 『사론』 10편은 그 뜻이 매우 바르다. 한 번 보자마자 다른 사람이 빌려갔다. 돌려주면 더욱 자세히 보겠다. 「서명」에 대한 논의는 옳지 않다. 횡거의 말에 진실로 지나침이 있는 것은 바로 『정몽』이다. 「서명」의 글은 리(理)를 미루어 의(義)를 보존하는 것이 이전 성현들이 아직 발견하지 않은 것을 확충한 것이니, 맹자의 '성선(性善)'·'양기(養氣)'론과 공로가 같다. 둘(맹자와 횡거)의 이론은 또한 이전 성현들이 아직 발견하지 않은 것인데, 어찌 묵자와 견주겠는가? 「서명」은 '리일분수(理一分殊)'를 밝혔고, 묵자는 근본을 둘로 하고 구분을 없앴다. '나의 노인을 노인으로 여겨 다른 사람의 노인에게까지 미치고, 나의 어린이를 어린이로 여겨 다른 사람의 어린이에게까지 미치는 것'은 '리일(理一)'이고, 사랑에 차등이 없는 것은 '본이(本二 : 근본이 둘)'이다. '나누어진 것이 다르다는 것(分殊)'의 폐단은 사사로움이 이겨 인(仁)을 잃는 것이고, 구분이 없는 죄는 겸애이어서 의(義)가 없는 것이다. '나누어진 것이 다르다는 것'이 세워져 '리일(理一)'을 미룸으로써 사사로움이 이기는 유폐를 바르게 하는 것이 인의 방법이다. 구별을 없애고 겸애에 미혹되어 아버지를 없애는 극단에 이르는 것은 의(義)의 해악이다. 그대가 그와 나란히 하여 똑같이 한 것은 지나치다. 또 '체(體)를 말하면서도 용(用)을 언급하지 않았다.'고 하는데, 횡거는 사람들에게 미루어 행하게 하고자 한 것이 본래 용인데, 오히려

'용을 언급하지 않았다.'고 하니, 또한 이상하지 않은가?"

　　밑줄은 강조를 위해서 표시한 것입니다. "리(理)를 미루어 의(義)를 보존하는 것이 이전 성현들이 아직 발견하지 않은 것을 확충한 것"라고 했습니다. 매우 중요합니다. 의(義)는 행동 양식이나 의무 또는 책임이 아닙니다. 그것의 기원은 리(理)입니다. 이것으로 의(義)를 보존한다면, 의는 엄밀히 말해서 자연의 모든 몸을 하나로 합하는 것이 아닙니다. 자연의 모든 몸에 나아가 그 각각에 고유한 본성을 영원의 필연성으로 이해하고, 이것으로 단 하나의 몸이 실로 존재한다는 사실을 확인하는 것입니다. 인(仁)이 의(義)의 기초이며, 의를 실천하는 것이 곧 인을 이해하는 것입니다. 이 이해를 통해서 절대적으로 사(私)는 존재하지 않습니다. 공사(公私)를 일관하는 단 하나의 몸이 존재하고, 이 몸으로부터 공(公)은 무한한 사(私)로 존재합니다.

　　그러므로 "'나누어진 것이 다르다는 것'이 세워져 '리일(理一)'을 미룸으로써 사사로움이 이기는 유폐를 바르게 하는 것이 인의 방법"이다고 말하는 것은 지극히 당연합니다. 리일을 미룸으로써 사사로움을 이기는 것은 단 하나의 몸에 고유한 영원의 필연성 안에 자연의 모든 몸이 존재한다는 사실을 이해하는 것입니다. 오직 이해만이 욕망이 자기를 보존하는 방법입니다. 동시에 욕망의 행복은 무한하게 서로 다른 몸에 나아가 그 모든 몸이 자기 존재에 관한 한 영원무한의 필연성을 따른다는 사실을 확인하는 것입니다. 왜냐하면 단 하나의 몸이 무한한 몸으로 존재한다는 사실을 이해할 때, 욕망은 단 하나의 영원무한을 무한하게 즐길 수 있기 때문입니다. 따라서 이제 남은 것은 몸에 대한 타당한 인식입니다.

③ 지(知)

결국 성리학의 감정과학은 '인식론'으로 요약됩니다. 감각적 현상에 대한 판단이나 해석은 참다운 인식이 아닙니다. 이로부터 칸트의 인식론 및 그에 기초한 헤겔의 인식론, 그리고 이후 전개되는 현대 철학의 주류적인 인식론은 사실상 인간 정신에 고유한 인식의 진실을 왜곡하고 은폐한 비극의 역사일 뿐입니다. 왜냐하면 그들은 일관되게 영원무한의 생명과 사랑으로 존재하는 단 하나의 몸이 존재한다는 다실을 철저히 부정하였으며, 그로부터 무한히 서로 다른 몸에 대한 참다운 인식이 그 자체에 고유한 본성의 필연성을 영원무한으로 이해하는 데에 있다는 사실을 부정했기 때문입니다. 이로부터 인간은 서로에게 악마이고 지옥입니다. 왜냐하면 사람에 대한 바른 인식을 결여한 이상, 우리는 우리 자신 및 사람의 순수지선과 성스러움을 절대적으로 알 수 없기 때문입니다.

그러나 성리학의 감정과학은 영원무한의 생명과 사랑으로 존재하는 단 하나의 몸이 본래부터 존재한다는 사실을 확인하며, 이 사실 안에서 무한한 몸이 무한한 다양성으로 존재한다는 사실을 확인합니다.

[4-14-2-2 『완역 성리대전』]

蓋天地中所生物, 本源則一. 雖禽獸草木, 生理亦無頃刻停息間斷者. 但人得其秀而最靈, 五常中和之氣所聚, 禽獸得其偏而已, 此其所以異也. 若謂'流動發生自然之機, 與夫無頃刻停息間斷', 即禽獸之體, 亦自如此. 若以爲此理惟人獨得之, 即恐推測體認處未精, 於他處便見差也.

천지 속에서 생겨나는 물건은 본원이 하나이다. 비록 짐승과 초목이라도 생의 이치는 또한 잠깐도 쉬거나 끊어지지 않는다. 다만 사람은 그 빼어난 것을 얻어 가장 신령스러워지게 되고, 오상(五常)을 중화(中和)시킨 기가 모였지만, 짐승은 그 치우침을 얻었을 뿐이니, 이것이 다른 까닭이다. '흘러 움직여 발생하는 자연스런 기틀과 잠깐도 쉬거나 끊어지지 않는다.'라고 한 것과 같은 말은 짐승의 체(體) 또한 본래 이와 같다.

"천지 속에서 생겨나는 물건은 본원이 하나이다."라고 했습니다. 단 하나의 생명과 사랑으로 존재하는 몸이 있고, 이 몸에 의해서 모든 몸이 생겨난다는 것입니다. 다음으로 '치우침' 등의 언어가 파생되는데, 이것은 생겨난 몸이 무한하게 다르다는 사실을 확인하는 것일 뿐입니다. 동시에 인간의 몸이 얼마나 고귀하고 성스러운 것인지 확인하는 것입니다. 몸으로 생겨나 살아가는 존재 가운데 오직 인간만이 단 하나의 실체로서 영원무한의 생명과 사랑으로 존재하는 몸을 이해합니다. 자기 몸의 진실을 이 몸으로 이해함으로써 이 몸의 본성으로 자기 몸을 비롯해서 자연의 모든 몸을 이해하는 존재가 자연 안의 인간입니다. 그렇기 때문에 인간이 가장 성스러운 것입니다. 개나 고양이가 우리 인간과 가깝다고 하지만, 그것들이 인간의 정신과 같은 방식으로 자연을 이해하지 않습니다.

오직 이 이유로 인간은 인간을 사랑하며 성스러운 존재로 찬양합니다. 절대적으로 동물의 정신과 몸에 대한 이해가 인간에 대한 이해를 대신할 수 없습니다. 인간은 인간 그 자체의 진실을 이해함으로써 인간을 지켜야 합니다. 왜냐하면 이 이해를 통해서만이 인간은 서로를 영원무한의 생명과 사랑으로 사랑할 수 있고, 더 나아가 자연 전체를 이 방식으로 사랑할 수 있기 때문입니다. 그렇기 때문에 인간 스스로 인간 자신의 성스러움을 이해하지 않으면 인간은 서로에게 괴물이나 지옥이 될 뿐입니다. 결국 인간이 인간답게 살아가고 서로를 향해서 사랑하며 사는 방법은 인간 스스로 인간 자신의 진실을 이해하는 것입니다. 이 이해를 요약하는 것이 리일분수(理一分殊)입니다. 이 이해가 인간 정신을 전쟁이 아닌 평화로 인도합니다.

주자도 이 사실을 다음과 같이 확인합니다.

[4-14-2-3 『완역 성리대전』]

又問 : "氣有淸濁, 故禀有偏正. 惟人得其正, 故能知其本具此理而存之, 而見其爲仁. 物得其偏, 故雖具此理而不自知, 而無以見其爲仁. 然則仁之爲仁, 人與物不得不同; 知仁之爲仁而存之, 人與物不得不異, 故伊川夫子旣言'理一分殊', 而龜山又有'知其理一, 知其分殊'之說, 而先生以爲全在知字上用著力. 恐亦是此意否?"

曰 : "大槪得之."

(주자가) 또 물었다. "기에는 맑음과 흐림이 있으므로 품수에도 치우침과 바름이 있습니다. 오직 사람만이 그 바름을 얻었기 때문에 본래 이 리(理)가 갖추어졌음을 알아 보존하여서 그것이 인이 됨을 볼 수 있습니다. 사물은 그 치우침을 얻었기 때문에 비록 이 리(理)를 갖추었더라도 스스로 알지 못하여 그것이 인이 됨을 보지 못합니다. 그렇다면 인이 인이 되는 것은 사람과 사물이 같지 않을 수 없고, 인이 인이 되는 것을 알아 보존하는 것은 사람과 사물이 다르지 않을 수 없으므로, 이천(伊川 : 程頤) 선생님이 이미 '리일분수(理一分殊)'를 말하고, 구산(龜山 : 楊時) 또한 '그 리일(理一)을 알고 그 분수(分殊)를 안다.'라는 말이 있었는데, 선생님이 그가 전적으로 지(知)자에만 노력하는 것이라고 여긴 것입니다.

아마도 또한 이것은 이 뜻입니까?"

(이동이) 대답했다. "대체로 맞다."

"본래 이 리(理)가 갖추어졌음을 알아 보존하여서 그것이 인이 됨을 볼 수 있습니다. 사물은 그 치우침을 얻었기 때문에 비록 이 리(理)를 갖추었더라도 스스로 알지 못하여 그것이 인이 됨을 보지 못합니다."라고 말했습니다. 중요한 것은 자기 스스로 자기 본성의 필연성을 인식함으로써 자연 전체의 진실을 이해하는 것입니다. 여기에서 다음과 같은 질문이 성립합니다. 자기 본성을 인식함으로써 자연 전체의 진실을 이해한다는 것은 무슨 뜻입니까? 이 물음에 대한 답을 자기 스스로 분명하게 할 수 있다면, 이번 공부는 성공한 것입니다. 정답은 이미 앞에서 충분히 언급하였습니다. "인이 인이 되는 것은 사람과 사물이 같지 않을 수 없고, 인이 인이 되는 것을 알아 보존하는 것은 사람과 사물이 다르지 않을 수 없으므로"라는 말이 뜻하는 바는 인간 정신의 아름다움입니다.

끝으로 아래의 인용에서 가장 중요한 것을 확인하겠습니다.

又問 : "合而言之, 則莫非此理. 然其中無一物之不該, 便自有許多差別. 雖散殊錯揉不可名狀, 而纖毫之間, 同異畢顯, 所以'理一而分殊'也. '知其「理一」, 所以爲仁; 知其「分殊」, 所以爲義', 此二句乃是於發用處, 該攝本體而言, 因此端緖而下工夫以推尋之處也. 大抵仁者, 正是天理流動之機. 以其包容和粹涵育融漾不可名貌, 故特謂之仁. 其中自然文理密察各有定體處, 便是義. 只此二字, 包括人道已盡. 義固不能出乎仁之外, 仁亦不離乎義之內也. 然則'理一而分殊'者, 乃是本然之仁義. 前此乃以'從此推出分殊合宜處爲義', 失之遠矣."

曰 : "推測一段甚密爲得之. 加以涵養, 何患不見道也?"

(주자가) 또 물었다. "합하여 말하면 이 리(理)가 아님이 없습니다. 그러나 그 속에 어떠한 것도 갖추어지지 않음이 없으니, 바로 본래 많은 차별이 있는 것입니다. 비록 흩어지고 섞여서 모습을 형용할 수는 없지만, 미세한 사이에서 같음과 다름이 모두 드러나기 때문에 '리일분수(理一分殊)'인 것입니다. '그 「리일(理一)」을 아는 것이 인이 되는 것이고, 그 「분수(分殊)」를 아는 것이 의가 되는 것이다.'라고 하는 이 두 구절은 바로 발용처(發用處)에서 본체를 통섭하여 말한 것이니, 이러한 실마리로 인하여 공부를 함으로써 미루어 찾아가는 곳입니다. 대개 인은 바로 천리가 흘러 움직이는 기틀입니다. 그 포용(包容)·화수(和粹)·함육(涵育)·융양(融漾)은 형용할 수 없으므로 단지 인이라고 합니다. 그 속에 저절로 문장·조리·세밀함·살핌에 각각 체(體)를 정함이 있는 것이 바로 의입니다. 다만 이 두 글자(仁과 義)는 인도(人道)를 이미 다 포괄하고 있습니다. 의는 진실로 인의 밖으로 벗어나는 것이 아니고, 인 또한 의의 안을 떠나는 것이 아닙니다. 그렇다면 '리일분수(理一分殊)'라는 것은 바로 본연의 인의입니다. 앞에서 이것을 '이로부터 분수에 합당한 곳을 미루어낸 것이 바로 의이다.'라고 한 것은 잘못이 큰 것입니다."

(이동이) 대답했다. "미루어 헤아린 이 단락은 매우 정밀하니, 옳다. 더욱 함양하면 어찌 도를 알지 못할까 근심하겠는가?"

주자는 "인이 인이 되는 것은 사람과 사물이 같지 않을 수 없고, 인이 인이 되는 것을 알아 보존하는 것은 사람과 사물이 다르지 않을 수 없으므로"라고 말했습니다. 이것으로 '성리학'의 감정과학이 얼마나 아름답고, 21세기 인류의 행복과 번영을 위해서 얼마나 소중한 학문인지 알 수 있습니다. 결국 자기를 바르게 이해하는 것이 관건입니다. 이 이해 없이 절대적으로 자기는 행복할 수 없습니다. 불행한 자기가 세상을 행복하게 만들 수 있다는 것 자체가 이미 거짓말입니다. 이

거짓말로 권력과 유명세를 얻는다면, 이것이 최고의 사기가 아닐까요? 우리가 더 이상 사기꾼들의 거짓말에 속아서는 안 됩니다. 가장 확실한 방법은 자기 스스로 자기의 진실을 알아서 그 진실대로 세상을 살아가는 것입니다. 이 삶이 인의(仁義)를 실천하는 행복입니다.

15장. 西銘總論
서 명 총 론

: 감정과학의 논리, 수설(竪說)과 횡설(橫說)의 교차

① 자기이해

이 장에서는 『서명』(西銘)의 감정과학을 마무리하겠습니다. 이 문서가 주돈이의 『태극도·설』(太極圖·說)과 함께 성리학을 이해하는 기본 문서인 까닭은 주돈이가 제시한 단 하나의 실체로서 영원무한의 생명과 사랑 그 자체인 '무극이태극'(無極而太極)을 우리 자신의 몸에 고유한 본성의 필연성으로 확인했다는 점에 있습니다. 자기 몸의 진실은 당연히 자기 스스로 이해하는 것입니다. 이 이해를 '자기이해'라고 합니다. 절대적으로 자기 이외 그 누구도 대신할 수 없습니다. 자기는 자기이해 안에서 자기 몸의 진실을 이해합니다. 이 이해가 분명한 사람은 '자기이해'로 확인한 자기 몸의 진실에 근거하여 자연의 모든 몸을 현상에 대한 해석이 아닌 그 자체의 본성으로 이해할 수 있습니다.

성리학의 기초인 유교문화가 '위기지학'(爲己之學)을 강조하는 이유가 여기에 있습니다. 자기 스스로 자기 몸의 진실을 이해한다는 것은 자기 스스로 자기 몸의 진실이 영원무한의 생명과 사랑임을 이해하는 것입니다. 영원무한의 생명과 사랑으로 존재하는 단 하나의 몸이 진실로 존재하며, 이 존재에 의해서 지금 자신의 몸이 생겨났다는 사실을 이해합니다. 동시에 이 몸은 자기 몸을 초월하여 존재하는 것이 아니라 자기 몸 안에 자기 몸의 본성으로 존재한다는 사실을 이해합니다. 이 이해는 궁극적으로 자기 존재의 본성이 영원의 필연성임으로 확인하는 것입니다. 이 확인으로 자연의 모든 몸을 배우면, 단 하나의 생명과 사랑으로 존재하는 영원무한의 몸에 의해서 모든 몸이 생겨난다는 진리를 이성의 필연성으로 확인합니다.

지금 '나'의 몸에 고유한 본성이면서 동시에 자연 전체의 몸에 고유한 본성이 진실로 존재한다는 사실, 그리고 이 사실로부터 지금 '나'의 몸은 실질적으로 영원무한의 생명과 사랑으로 존재하는 단 하나의 실체라는 사실을 이해하는 것이 인(仁)입니다. 그렇기 때문에 인(仁)은 지금 나의 몸에 고유한 영원의 진실이며, 동시에 자연 전체의 진실입니다. 이 사실로부터 우주의 먼지 같이 작은 나의 몸은 우주 전체와 본래 하나의 몸으로 존재하는 영원무한 그 자체라는 사실을 깨닫게 됩니다. 이 사실이 인(仁)입니다. 우리는 이 사실을 우리 자신의 몸에 근거하여 자기이해의 자명함으로 확인했습니다. 몸은 생겨난 것이므로 이 사실 안에 인(仁)을 인식하는 기초가 있습니다.

이 기초를 확인하는 것이 '생이지지'(生而知之)입니다. 생겨난 몸(生)에 나아가 자기 스스로 생각하고 배워보면 영원무한의 생명과 사랑의 몸이 지금 자기 몸의 본래 진실임을 이해하게(知) 됩니다. 그렇기 때문에 '생이지지'(生而知之)에 근거하여 '학이지지'(學而知之)가 성립합니다. 우리는 생이지지의 진실에 입각하여 몸의 진실을 밝힌 선대 학자들과 함께 몸의 진리에 참여하는 공동탐구를 통해서 자기 몸의 진실을 배워서 이해합니다. 배움(學)의 기초가 사유(思)인 이유입니다. 자기 사유 안에서 자기 몸의 생김에 대해서 자기 스스로 생각해 보면, 자기는 최고의 완전성 그 자체인 '자기이해'(왜냐하면 오직 이 순간에 자기는 자기 아닌 다른 것에 의존함이 없는 최고의 능동성 그 자체이기 때문에) 안에서 몸의 진실을 이해하며, 이 이해를 서로 배워서 확인합니다.

이 배움이 인(仁)을 실천하는 것입니다. 이것을 의(義)라고 합니다. 그렇기 때문에 지금까지 계속 논하였듯이 의(義)는 배움을 실천하는 것이지 어떤 특정된 행동이나 의무가 아닙니다. 배움을 실천한다는 것은 사유의 자명, 즉 자기이해 안에서 확인한 몸의 진실을 서로 확인하며 그 진실에 입각하여 자연의 모든 몸에 나아가 그 모든 몸을 우연이나 가능이 아닌 그 자체의 영원한 필연성으로 이해하는 것입니다. 이렇게 배움을 실천하면, 다음과 같은 사실을 영원의 필연성으로 확인합니다. 지금 내 몸의 영원한 진실인 '영원무한의 생명과 사랑으로 존재하는 단 하나의 몸'은 자연 안에 무한한 방식으로 무한하게 존재합니다. 이 확인이 분명할 때, 우리는 절대적으로 자연의 모든 몸을 함부로 하지 않습니다. 자연의 몸과 지금 나의 몸이 본질적으로 하나입니다.

'인권'으로부터 '자연 보호' 및 '동식물의 복지'에 이르기까지, 현대 인류는 모든 것의 행복을 추구합니다. 심지어 로봇의 복지까지 생각합니다. 이 사실 자체가 이미 인간 몸의 진실이 인(仁)이라는 사실을 증명합니다. 그러나 정작 중요한 것은 그 모든 외침이 어떻게 하면 공허한 울림으로 끝나지 않겠냐는 것입니다. 우리의 감정이 이미 인(仁)을 증명하지만, 우리가 정작 왜 그러한 방식으로 감정을 느끼게 되는지 그 이유를 명백하게 이해하지 못하면, 결국 그 모든 노력과 시도는 실패합니다. 아주 가깝게 생각해 봅시다. 인간의 존엄과

가치를 무엇으로 확인할 수 있을까요? 몸 그 자체의 진실이 영원무한의 생명과 사랑이라는 사실을 우리 모두가 이해하지 못하면, 인권의 개념은 매우 공허하게 됩니다.

지금 우리 자신의 행복이 온 우주(자연)와 일치하고 있다는 사실을 확인하는 유일한 방법은 자기 스스로 자기 몸의 진실이 우주 전체와 본래 하나라는 사실을 확인하는 것입니다. 지금 자기 몸을 통해서 확인하는 자기의 진실이 영원무한의 생명과 사랑이라는 사실을 이해하는 것이 뇌관입니다. 신이 따로 없습니다. 지금 자기가 신입니다. 신의 몸이 따로 없습니다. 지금 자기의 몸이 신의 몸입니다. 자기의 '겉모습'만으로 자기를 생각하면, 자기의 현상에서 신의 형상을 볼 수 없습니다. 그러나 자기 몸이 품고 있는 물자체의 진실이 신성입니다. 이때 비로소 자기는 자기 몸을 신의 몸으로 이해하며, 자기 몸의 현상에서 신의 형상을 봅니다. 선험분석이며, 선험분석으로부터 후험분석입니다. 이 인식을 향한 학문이 '성리학'입니다.

분석은 선험과 후험에 존재하지만, 순서는 선험입니다. 선험분석이 분명할 때 후험분석이 분명합니다. 그렇기 때문에 선험분석이 학문의 기초입니다. '선험분석'을 향한 배움으로서 선험분석학은 자기 몸에 대한 올바른 인식입니다. 이 사실을 북송 시대 성리학자 정이는 다음과 같이 확인합니다.

[4-15-4 『완역 성리대전』]
　　學者須先識仁. 仁者, 渾然與物同體. 義·禮·知·信, 皆仁也. 識得此理, 以誠敬存之而已, 不須防檢, 不須窮索. 若心懈, 則有防, 心苟不懈, 何防之有? 理有未得, 故須窮索. 存久自明, 安待窮索? 此道與物無對, 大不足以名之. 天地

之用, 皆我之用. 孟子言"萬物皆備於我", 須"反身而誠", 乃'爲大樂.' 若反身未誠, 則猶是二物有對, 以己合彼, 終未有之, 又安得樂?「訂頑」意思, 乃備言此體. 以此意存之, 更有何事? "必有事焉而勿正, 心勿忘, 勿助長", 未嘗致纖毫之力, 此其存之之道. 若存得, 便合有得. 蓋良知良能元不喪失, 以昔日習心未除, 却須存養此心, 久則可奪舊習. 此理至約, 惟患不能守. 旣能體之而樂, 亦不患不能守也.

(정이가 말했다.) 학자는 반드시 먼저 인(仁)을 알아야 한다. 인(仁)은 혼연히 만물과 한 몸이다. 의·례·지·신(義·禮·知·信)은 다 인이다. 이 리(理)를 알아서 성(誠)과 경(敬)으로 그것을 보존할 뿐이니, 막고 단속할 필요가 없고, 궁구하여 찾을 필요도 없다. 만약 마음이 게을러지면 막을 것이 있겠지만, 마음이 진실로 게으르지 않다면 어찌 막을 것이 있겠는가? 리(理)를 아직 알지 못하기 때문에 반드시 궁구하여 찾아야 한다. 오래 보존하면 저절로 밝아지는데, 어찌 궁구하여 찾을 필요가 있겠는가? 이 도는 상대할 물건이 없으니, 너무 커서 충분하게 형용할 수 없다. 천지의 작용은 모두 나의 작용이다. 맹자는 "만물은 모두 나에게 갖추어져 있으니", 반드시 "내 몸에 돌이키어 성(誠)하게 되면", '큰 즐거움이 된다'라고 말했다. 만약 내 몸을 돌이키어 성(誠)하지 못하면 이것은 두 가지 대립이 있어서 자기를 대상에 합치하여도 결국 대립 없음이 있지 않는 것과 같으니, 또한 어찌 즐거워함을 얻을 수 있겠는가?「정완(서명)」의 뜻은 이 체(體)를 말하는 것을 갖추었다. 이 뜻을 보존하면 다시 어떤 일을 할 것이 있겠는가? "반드시 일삼아 하지만 효과를 미리 기대하지 말며, 마음에 잊지도 말고, 조장하지 않아야 한다"라는 것은 털끝만큼의 힘도 쓴 적이 없는 것이니, 이것이 그것을 보존하는 방법이다. 만약 보존할 수 있다면 마땅히 얻음이 있을 것이다. 양지와 양능은 원래 잃어버린 것이 아닌데, 그동안 버릇 들인 마음이 제거되지 않아서 이 마

음을 반드시 보존하고 길러야 하니, 오래도록 하면 옛 버릇에서 벗어날 수 있다. 이 리(理)가 지극히 간략하지만 오직 지킬 수 없음을 근심한다. 이미 그것을 체득하여 즐거워할 수 있다면 또한 지킬 수 없음을 근심하지 않는다.

"학자는 반드시 먼저 인(仁)을 알아야 한다. 인(仁)은 혼연히 만물과 한 몸이다."라고 말했습니다. 지금 '나'의 몸이 자연 전체와 본래 하나인 몸입니다. 이 몸이 영원무한의 생명과 사랑입니다. "리(理)를 아직 알지 못하기 때문에 반드시 궁구하여 찾아야 한다."라고 했습니다. 반드시 자기 몸의 진실을 자기 스스로 이해해야 합니다. 이 이해를 통해서 맹자가 말한 몸의 진실이 무엇인지 깨닫게 됩니다. 이 지점에서 매우 중요한 것은 마지막 대목입니다. ""반드시 일삼아 하지만 효과를 미리 기대하지 말며, 마음에 잊지도 말고, 조장하지 않아야 한다"라는 것은 털끝만큼의 힘도 쓴 적이 없는 것이니"라고 말한 부분입니다. 자기 몸에 나아가 자기이해를 통해서 자기 몸의 진실을 깨닫는 것입니다. 의지력으로 하는 것이 아니라 자기이해를 형성하는 정신력이 배움의 기초임을 확인합니다.

북계 진씨 또한 『서명』의 핵심이 자기 몸에 나아가 자기 스스로 자기 몸의 진실을 이해하는 '자기이해'의 정신력에 있다는 사실을 다음과 같이 확인합니다.

[4-15-6-1『완역 성리대전』]
問："游氏讀「西銘」, 曰'此『中庸』之理也.' 是言人物體性之所自來否?"
北溪陳氏曰："不止是言體性之所自來. 須兼事天節目言之, 皆是日用切己之實. 無過無不及, 所以謂中庸之理也."

물었다. "유씨는 「서명」을 읽고, '이것은 『중용』의 리(理)이다.'라고 했으니, 이것은 사람과 사물의 몸과 성(性)의 유래를 말하는 것입니까?"

북계 진씨(北溪陳氏：陳淳)가 말했다. "단지 몸과 성(性)의 유래를 말하는 것만이 아니다. 반드시 하늘을 섬기는 항목을 겸하여 말해야 하니, 모두 날마다 자기에게 절실한 실제이다. 넘치지도 않고 모자라지도 않기 때문에 『중용』의 리(理)를 말한 것이다."

자기 스스로 자기 몸의 유래를 생각할 때, 자기 몸의 진실을 깨닫습니다. 그런데 "반드시 하늘을 섬기는 항목을 겸하여 말해야 하니"라는 부분을 추가하였습니다. 자기 몸의 유래를 생각할 때, '족보'나 '가문' 같은 공간과 시간의 한계 안에서 생각하면 안 된다는 사실을 강조한 것입니다. 하늘은 영원의 필연성 그 자체인 리(理)입니다. 이것으로 자기 몸의 유래에 대해서 생각할 때, 자기는 자기 몸이 본래부터 자기 안에 품고 있는 진실로서 영원무한의 생명과 사랑을 이해합니다. 이 이해가 분명할 때, 지금 자기의 몸이 자연 전체와 본래 하나인 영원무한의 몸이라는 사실을 확인합니다.

그러므로 다음과 같은 주자의 요약은 지극히 당연한 것입니다.

[4-15-9-5 『완역 성리대전』]

曰 : "'混然中處', 則便是一箇. 許多物事都在我身中, 更那裏去討一箇乾坤?"

(주자가) 대답했다. "'혼연히 그 속에 있다.'라는 것이 바로 하나이다. 많은 것들이 모두 내 몸 속에 있는데, 다시 어느 곳에서 건과 곤을 찾겠는가?"

---

② 수설과 횡설

우리는 지금까지 자기 스스로 형성할 수 있는 자기 몸에 대한 올바른 이해가 무엇인지 밝히기 위해서 수많은 말들을 했습니다. 핵심은 '자기이해'입니다. 이 이해의 논리가 무엇인지 이 자리에서 확인하겠습니다. 자기이해는 두 개의 언어가 교차한 결과 형성됩니다. 두 개의 언어는 '수설'(竪說)과 '횡설'(橫說)입니다. 성리학자들은 수설을 직간(直看)으로 표현하며, 횡설을 횡간(橫看)으로 표현합니다. 서로 다른 두 개의 언어(이해)가 교차함으로써 형성되는 이해가 자기이해입니다. 그리고 당연히 이 언어(이해)는 자기 몸에 대한 것입니다. 자기 스스로 자기 몸에 대한 이해(말)을 두 가지 방식으로 할 수 있다는 것을 뜻합니다. 수설과 횡설이 그것입니다.

수설은 '위로부터 아래'라는 관념을 내포합니다. 횡설은 '좌우'라는 개념을 내포합니다. 우리는 쉬운 이해를 위해 물에 대한 비유를 생각해 볼 수 있습니다. 물길을 왼쪽으로 하면 물은 왼쪽으로 흐릅니다. 반대로 오른쪽으로 하면 오른쪽으로 흐릅니다. 여기에서 보면, 마치 물은 외부 환경이나 조건에 의해서 좌우되는 것 같습니다. 이것을 '외부 원인'이라고 부르겠습니다. 그러나 과연 물은 외부 원인에 의해서 결정되는 것일까요? 사실 그렇지 않습니다. 물은 자기 안에 '위'로부터 '아래'로 흐른다는 물 그 자체의 본성을 가지고 있습니다. 이 본성에 근거하여 물길이 좌(左)로 만들어지면 좌(左)로 흐르며, 우(右)로 만들어 지면 우(右)로 흐릅니다.

우리는 이것으로 수설과 횡설을 이해할 수 있습니다. 수설은 사물이 자기 안에 본래부터 가지고 있는 자기의 본성입니다. 횡설은 사물의 조건이나 환경입니다. 이것을 우리는 공간과 시간의 한계라고 부릅니다. 다시 물에 대한 비유로 돌아가서 생각해 봅시다. 물은 자신에게 주어진 길을 따라 흘러갑니다. 그러나 만약 물이 자기 안에 고유한 본성으로서 '위로부터 아래'라는 본성이 없거나 또는 있다고 하여도 그 본성을 따르지 않는다면 물은 자기에게 주어진 길의 방향을 따라서 흐를 수 없습니다. 그렇다면 과연 물을 흘러가게 하는 원인은 어디에 있을까요? 외부 원인일까요, 아니면 물 스스로 자기 본성을 따르는 자기 원인일까요?

문제의 정답은 당연히 자기 원인입니다. 그런데 방금 우리는 사물의 본성을 수설로 정의하였으며, 한편으로 외부 조건으로서 공간과 시간을 횡설로 정의하였습니다. 그렇다면 수설은 자기 원인이며, 횡설은 자기 원인의 수설이 자기 본성을 따르는 자유라는 것을 확인할 수 있습니다. 즉, 물의 길이 물의 본성을 좌우하는 것이 아니라 물은 자기 본성을 따라서 자기에게 주어진 길을 자유롭게 흘러갑니다. 이렇게 '수설'과 '횡설'을 이해하면 '수설'에 대한 이해가 매우 중요합니다. 수설에 대한 이해가 분명할 때, 횡설은 수설을 강제하는 것이 아니라 수설의 자유입니다. 이것을 우리 자신의 몸에 적용해 봅시다.

우리의 몸은 영원무한의 생명과 사랑을 본래부터 자기 안에 가지고 있습니다. 이 사실은 오직 자기의 '자기이해'만으로 확인합니다. 이 언어가 '수설'(竪說)이며, 이 이해가 '직간'(直看)입니다. 이 이해가 분명할 때, 영원무한의 생명과 사랑으로 존재하는 자기는 자신의 진실을 지키기 위해서 자연의 모든 몸에 나아가 그 모든 몸이 절대적인 영원성 안에서 필연성으로 존재하고 있다는 사실을 이해하기를 욕망합니다. 왜냐하면 이 이해만이 자기 몸의 진실인 영원무한을 확

인할 수 있기 때문입니다. 자기 몸의 생김이 영원의 필연성이기 때문에 자연의 모든 몸이 자기 몸과 동일한 논리로 존재하고 있다는 사실을 확인할 때, 자기의 영원무한을 확인할 수 있습니다.

이 논리를 다음과 같이 요약할 수 있습니다. 횡설이 자신의 수설을 이해하고, 자신의 수설이 다시 횡설에 나아가 자신의 수설을 확인합니다. 이렇게 수설과 횡설이 교차하는 것이 음양(陰陽)을 품고 있는 태극(太極)입니다. 영원무한의 생명과 사랑이 자신의 생명과 사랑을 영원무한으로 확인하는 것입니다. 태극(太極) 앞에 무극(無極)을 둔 이유입니다. 영원무한의 생명과 사랑은 감각으로 지각되는 현상이 아니라 모든 현상이 품고 있는 자기 본성의 영원한 필연성입니다. 아래의 인용에서 감정과학의 언어인 수설과 횡설의 교차를 확인할 수 있습니다.

[4-15-9-10 『완역 성리대전』]

問 : "「西銘」句句是'理一分殊', 亦只是事天·事親分否?"

曰 : "是. '乾稱父, 坤稱母', 只下'稱'字, 便別. 這箇有直說底意思, 有橫說底意思. '理一而分殊', 龜山說得又別. 他只是以'民吾同胞, 物吾與', 及'長長幼幼'爲'理一分殊'."

曰 : "龜山是直說底意思否?"

曰 : "是. 然龜山只說得頭一小截, 伊川意則濶大, 統一篇言之."

曰 : "何謂橫說底意思?"

曰 : "'乾稱父, 坤稱母', 便是這箇. 不是即那事親底便是事天底."

曰 : "橫渠只是借那事親底來形容那事天底做箇樣子否?"

曰 : "是."

물었다. "「서명」의 구절구절이 '리일분수(理一分殊)'라는 것은 또한 단지 하늘을 섬기는 것과 부모를 섬기는 것으로 나누는 것입니까?"

(주자가) 대답했다. "그렇다. '하늘을 아버지라고 일컫고, 땅을 어머니라고 일컫는다.'라는 것에서 단지 '일컫는다(稱)'라는 글자를 쓴 것이 바로 구별될 뿐이다. 이것에는 세로로 말하는 뜻도 있고, 가로로 말하는 뜻도 있다. '리일분수(理一分殊)'라는 것은 구산의 말에서도 또한 구별된다. 그는 다만 '백성은 나의 동포이고, 만물은 나의 무리이다.'라는 것과 '어른을 어른으로 대하고 어린이를 어린이로 대한다.'라는 것을 '리일분수(理一分殊)'로 여겼다."

물었다. "구산의 주장은 세로로 말하는 뜻입니까?"

(주자가) 대답했다. "그렇다. 그러나 구산은 다만 앞의 몇 구절만 잘라서 말했고, 이천(伊川 : 程頤)의 뜻은 넓고 커서 한 편을 통틀어서 말했다."

물었다. "가로로 말하는 뜻이란 무엇입니까?"

(주자가) 대답했다. "'건을 아버지라고 일컫고, 곤을 어머니라고 일컫는다.'라는 것이 바로 이것이다. 그 부모를 섬기는 것이 바로 하늘을 섬기는 것은 아니다."

물었다. "횡거(橫渠 : 張載)는 단지 그 부모를 섬기는 것을 빌려서 그 하늘을 섬기는 것을 묘사하여 본보기로 삼았습니까?"

(주자가) 대답했다. "그렇다."

수설을 이해하는 기초는 횡설입니다. 우리 자신의 감각에 근거하여 보면, 부모로부터 자기가 태어났다는 생김의 논리적 선후를 이해할 수 있습니다. 이 논리를 자기 몸에 대한 자기이해로 확인한다면, 자기 생김에 고유한 필연성을 영원성 그 자체로 이해할 수 있습니다. 영원무한의 생명과 사랑으로 존재하는 몸이 있으며, 이 몸이 지금 자신의 몸에 고유한 본성으로 존재하고 있다는 사실을 확인하게 됩니다. 이 사실이 자기 몸의 수설(직간)입니다. 눈에 보이는 부모를 섬기는 것은 '횡설'(횡간: 가로로 말하기)입니다. 이 말을 토대로 자기 몸의 진실로서 영원무한의 생명과 사랑을 이해하는 것이 '수설'(직간: 세로로 말하기)입니다.

그러므로 성리학을 집대성한 주자가 성리학의 감정과학에 고유한 두 가지 언어의 교차를 다음과 같이 확인하는 것은 지극히 당연합니다.

> [4-15-20 『완역 성리대전』]
> 「西銘」有箇直劈下底道理, 又有箇橫截斷底道理.

> 「서명」은 세로로 쪼개 내려가는 도리가 있고, 또 가로로 자르는 도리도 있다.

③ 본래 성스러운 사람

자기이해를 수설과 횡설의 교차로 확인한 사람은 성인(聖人)이 무엇인지 진실로 이해합니다. 성인은 자기에게 주어진 목적이나 수준 및 경지가 아닙니다. 자기의 본래 진실입니다. 자기는 영원으로부터 영원에 이르는 영원성 그 자체로 성스러운 성인입니다. 성인을 자기 밖에서 구하면 안 됩니다. 자기 안에 본래부터 갖추어진 자기 진실이 성인입니다. 그리고 자기 진실에 입각하여 자연의 모든 몸을 성스러움 그 자체로 배우고 이해함으로써 경외하는 것이 성인의 삶입니다. 성인이 자신의 진실을 이해함으로써 그 이해대로 실천하는 평범한 사람입니다. 초인이 아닙니다. 따라서 배움은 성인이 자신의 진실을 실천하는 것이며, 이는 구체적으로 자신의 몸을 비롯해서 자연의 모든 몸을 영원의 필연성으로 배워서 이해하는 것입니다.

북송 시대 성리학자 정이도 이 진실을 다음과 같이 확인합니다.

[4-15-22 『완역 성리대전』]
"「西銘」之書, 指吾體性之所自來, 以明父乾·母坤之實; 極'樂天'·'踐形'·'窮神知化'之妙, 以至於無一行之不慊而沒身焉. 故伊川先生以爲'充得盡時便是聖人', 恐非專爲始學者一時所見而發也."

「서명」의 글은 나의 몸과 성(性)의 유래를 가리켜 건(乾)을 아버지로 삼고 곤(坤)을 어머니로 삼는 실제를 밝혔고, '천도를 즐거워하고' '제 모습을 실천하며' '신묘함을 궁구하고 변화를 아는' 오묘함을 지극하게 하여, 한 가지 행실도 부족함이 없이 죽는 데까지 이르게 한 것이다. 그러므로 <u>이천(伊川 : 程頤) 선생이 '모두 실천할 때가 바로 성인'이라고 여긴 것</u>은 아마도 오로지 처음 배우는 사람만을 위해 일시적인 견해로 말한 것이 아닌 듯하다.

"<u>모두 실천할 때가 바로 성인</u>"이라고 말했습니다. 이때의 실천을 칸트의 『실천이성비판』 같은 것으로 이해하면 절대 안 됩니다. 왜냐하면 『실천이성비판』은 『순수이성비판』에 기초하며, 『순수이성비판』은 물자체 인식을 철저히 부정하기 때문입니다. 그러나 정이는 "<u>「서명」의 글은 나의 몸과 성(性)의 유래를 가리켜 건(乾)을 아버지로 삼고 곤(坤)을</u> 어머니로 삼는 실제를 밝혔고"라고 말했습니다. 몸 그 자체의 인식으로서 물자체(선험분석) 인식이 분명합니다. 그렇다면 당연히 정이의 실천은 물자체 인식을 실천하는 것입니다. 이는 구체적으로 자신의 몸을 비롯해서 자연의 모든 몸이 생김에 관한 한 영원의 필연성 안에 있다는 사실을 이해하는 것입니다. 칸트의 『실천이성비판』으로는 절대적으로 이해할 수 없는 '성인의 실천'입니다.

우리는 여기에서 한 걸음 더 나아갈 수 있습니다. 몸의 생김이 이미 영원의 필연성 안에 있다면, 몸의 놀이 또한 영원의 필연성 안에서 무한한 방식으로 무한하게 드러납니다. 이 사실이 '후험분석'입니다. 그렇기 때문에 성인의 실천을 우리는 보다 적극적으로 이해할 수 있습니다. 지금 자신의 몸을 비롯해서 자연의 모든 몸은 무한히 변화합니다. 이 변화를 감정과학은 몸의 순간 변화인 감정으로 정의합니다. 그렇다면 감정은 무한히 새롭습니다. 이 새로운 감정에 나아가 그 자체에 고유한 본성인 영원의 필연성을 인식할 때, 자연의 모든 감정은 영원의 필연성 안에서 순수지선입니다. 이 사실을 이해하는 것이 성인의 실천입니다.

우리가 위와 같이 자기이해 안에서 몸의 진실 및 몸의 순간 변화로서 감정의 진실을 이해하는 한에서 우리는 몸 그 자체의 진실인 영원무한의 생명과 사랑 안에서 몸으로 살아가는 모든 공간과 시간을 영원무한으로 살아갈 수 있게 됩니다. 즉, 수설로 횡설을 살아갑니다. 이것을 퇴계는 '리발기수'(理發氣隨)로 요약하였습니다. 사람은 이렇게 성스럽고 고귀합니다. 자연 안에서 오직 인간만이 이 진실을 이해하며 가르칩니다. 그 결과 오직 인간만이 영원무한의 생명과 사랑의 축복을 누릴 수 있습니다. 이 사실을 주자는 다음과 같이 확인합니다.

[4-15-14 『완역 성리대전』]

人本與天地一般大, 只爲人自小了. 若能自處以天地之心爲心, 便是與天地同體. 「西銘」備載此意. 顔子克己, 便是能盡此道.

사람은 본래 천지와 같이 큰데, 다만 사람이 스스로 작게 여길 뿐이다. 만약 천지의 마음을 마음으로 자처할 수 있다면 천지와 더불어 같은 몸이다. 「서명」은 이러한 뜻을 다 갖추었다. 안자(顔子)가 사욕을 이긴 것이 바로 이 도를 다한 것이다.

[4-15-15 『완역 성리대전』]

龜山楊氏曰 : 「西銘」只是發明一箇事天底道理. 所謂事天者, 循天理而已.

구산양씨(龜山楊氏 : 楊時)가 말했다. "「서명」은 다만 하늘을 섬기는 도리를 밝혔을 뿐이다. 이른바 하늘을 섬긴다는 것은 천리를 따르는 것일 뿐이다."

"천지와 더불어 같은 몸"이라고 했습니다. 이 사실은 "천리를 따르는 것"으로 확인합니다. 자기 진실을 이해하면, 그 즉시 자기 진실을 따르는 최상의 행복을 누립니다. 그 결과 절대적으로 '횡설'에 갇히지 않습니다. 수설 안에서 횡설을 살아갑니다. 수설을 모르게 됨으로써 횡설로 살아가는 것이 사사로워지는 것입니다. 자기 본래의 영원한 진실인 공(公)을 모르게 됩니다. 그 결과는 무엇일까요? 자기 스스로 자기 생명의 진실을 부정합니다. 다음으로 자기는 생명과 사랑에 관한 한 결핍증에 시달리게 됩니다. 끝으로 순수지선을 부정하며 선악을 분별하는 질곡에 빠지게 되어 자기 본래의 평화 정신을 전쟁 정신으로 왜곡합니다.

이 비극을 다음과 같이 주자는 확인합니다.

[4-15-28 『완역 성리대전』]

"人之有是身也, 則易以私, 私則失其正理矣. 「西銘」之作, 唯患夫'勝私'之流也, 故推明理之一以示人. 理則一, 而其分森然自不可易. 惟識夫'理一', 乃見其分之殊. 明其'分殊', 則所謂理之一者, 斯周流而無敝矣. 此仁義之道所以常相須也. 學者存此意, 涵泳體察, 求仁之要也."

(장식이 말했다.) "사람에게는 이 몸이 있으니 사사로워지기 쉽고, 사사로워지면 바른 리(理)를 잃는다. 「서명」을 지은 것은 오직 사사로움이 이기는 유폐를 걱정했기 때문에 리(理)가 하나라는 것을 미루어 밝혀서 사람들에게 제시한 것이다. 리(理)는 하나이지만, 그 나누어진 것은 뚜렷하여 저절로 바꿀 수 없다. 오직 '리일(理一)'을 알 때에 그 나누어진 것이 다름을 본다. 그 '분수(分殊)'를 밝히면 이른바 리일(理一)이 두루 흘러도 폐단이 없다. 이는 인과 의의 도가 항상 서로 의존하는 까닭이다. 배우는 사람이 이 뜻을 보존하며 충분히 이해하고 살피는 것이 인을 구하는 요체이다."

"사사로움이 이기는 유폐"란, 다 좋은 세상을 몰라서 다 좋은 세상을 부정하는 것입니다. 엄밀히 말해서 인간이 악행으로 하는 이유는 '다 좋은 세상'을 모르기 때문입니다. 인간 본성이 악하기 때문에 악을 행하는 것이 아닙니다. 이러한 측면에서 자기이해의 부재가 곧 자기 스스로 절망에 빠지는 비극의 유일한 원인입니다. 성인(聖人)은 사유(思)와 배움(學)의 교차를 통해서 자기 진실을 이해하며, 이 진실에 입각하여 자연의 모든 몸 및 그 모든 몸의 무한 변화를 영원무한의 생명과 사랑으로 이해하는 것입니다. 이 이해는 사실상 몸의 생김과 놀이를 우연이나 가능이 아닌 그 자체의 영원의 필연성으로 인식하는 것입니다.

그러므로 우리의 이번 공부를 다음과 같이 인식론으로 마무리하는 것은 지극히 당연합니다.

[4-15-32 『완역 성리대전』]

臨川吳氏曰 : 知者, 聖人'踐形惟肖', 有以黙契乎是理, 非但聞見之知也. 化, 則'天地化育'之事, '乾道變化', '發育萬物', '各正性命'者. 知得'天地化育'之事, 則吾亦能爲天地之事. 是善述吾父母所爲之事矣. 窮者, 聖人'窮理盡性', 有以究極乎是理, 而知之無不盡也. 神, 則天地神妙之心, '維天之命', '至誠無息', '於穆不已'者. 窮得天地神妙之心, 則吾亦能心天地之心. 是善繼吾父母所存之志矣. 此造聖之終事, '踐形惟肖'者之盛德, 所謂'樂且不憂純之孝者也.'

지(知)란 성인이 '제 모습을 실천하고 하늘을 닮아' 이 리(理)를 묵묵히 깨닫는 것이니, 단지 견문의 지(見聞의 知 : 감성적 앎)뿐만은 아니다. 화(化)는 '천지 화육'의 일이니, '건도가 변화하여' '만물을 발육시키고' '각기 성(性)과 명(命)을 바르게 한다'라는 것이다. '천지화육'의 일을 안다면 나 또한 천지의 일을 할 수 있다. 이것은 내 부모가 하는 일을 잘 따른다는 것이다. 궁(窮)이란 성인이 '리(理)를 궁구하고 성(性)을 다하여' 이 리(理)를 끝까지 궁구하는 것이니, 지(知)에 다하지 않음이 없다. 신(神)이란 천지의 신묘한 마음이니, '천의 명'이 '지극히 성하여 쉼이 없어' '아! 심원하여 그치지 않는다.'라는 것이다. 천지의 신묘한 마음을 궁구하면 나 또한 천지의 마음을 마음으로 삼을 수 있다. 이것이 내 부모의 보존한 뜻을 잘 잇는 것이다. 이것은 성인에 이르는 마지막 단계의 일로 '제 모습을 실천하는 닮은 사람'의 왕성한 덕이니, '천도를 즐거워하고 또 근심하지 않는 효도에 순수한 자이다.'라고 말하는 것이다.

"지(知)란 성인이 '제 모습을 실천하고 하늘을 닮아' 이 리(理)를 묵묵히 깨닫는 것"이라고 했습니다. 인식과 행동이 서로 다르지 않습니다. 자기 스스로 자기 존재의 진실을 이해하면, 그것이 곧 행동이며 실천입니다. 이것은 지극히 당연합니다. 왜냐하면 영원무한의 생명과 사랑을 이해하는 것과 영원무한의 생명과 사랑을 실천하는 것은 서로 다르지 않기 때문입니다. 영원무한의 생명과 사랑 안에서 인식과 실천은 본래 하나입니다. 이 등식에 근거하여 가장 중요한 것은 인식입니다. 이 사실을 주자가 확인합니다.

"'천지화육'의 일을 안다면 나 또한 천지의 일을 할 수 있다. 이것은 내 부모가 하는 일을 잘 따른다는 것"이라고 했습니다. 천지화육의 일이란 '리일분수'(理一分殊)입니다. 영원무한의 필연성은 단 하나이며[理一], 이로부터 자연을 구성하는 몸이 무한한 방식으로 무한하게 생겨납니다[分殊]. 이 사실로부터 단 하나로 존재하는 영원무한의 필연성은 영원무한의 생명과 사랑입니다. 그렇기 때문에 영원무한의 생명과 사랑을 이해하는 것이 곧 천지화육의 일을 아는 것입니다. 자연(天地) 안에 모든 것은 영원무한의 생명과 사랑 안에서 몸으로 생겨나서 몸으로 살아갑니다. 이것이 천지의 화육이므로 이 일을 이해한다는 것은 자연의 모든 몸을 영원무한의 생명과 사랑으로 이해하는 것입니다.

이 이해가 곧 부모를 보시는 것이라고 했습니다. 왜냐하면 부모는 내 몸의 존재에 관한 한 단 하나의 영원무한의 생명과 사랑이기 때문입니다. 자기 몸에서 자기 몸의 생명에 고유한 본성으로서 영원무한의 생명과 사랑을 이해하는 것이 곧 천지화육을 이해하는 유일한 방법입니다. 이로부터 부모를 모시는 것이 곧 자기 몸의 생명을 참답게 이해하는 것이며, 이 이해가 천지화육을 이해하는 것으로 직결되는 것은 당연합니다. 이 이해가 동시에 천지화육을 실천하는 것인 이유는 자기 생명의 진실을 영원무한의 생명과 사랑으로 이해하는 사람만이 자연의 모든 몸을 자기 몸을 향한 자기이해와 동일한 방식으로 형성할 것이기 때문입니다. 이로부터 자연을 생명과 사랑으로 이해하고 보살피는 것은 지극히 당연한 것입니다.

"천지의 신묘한 마음을 궁구하면 나 또한 천지의 마음을 마음으로 삼을 수 있다."이라고 했습니다. 천지의 마음은 오직 천지의 마음 자신만이 알 수 있습니다. 왜냐하면 우리가 천지의 마음을 영원무한의 생명과 사랑을 이해하는 마음으로 정의하는 한에서 영원무한을 이해하는 것은 오직 영원무한 그 자체이기 때문입니다. 그렇기 때문에 우리가 자기 몸에 나아가 자기 생명의 진실을 이해하는 한다는 것은 우리 자신의 마음이 천지의 신묘한 마음을 궁구하는 것이며, 그러한 한에서 우리의 마음은 천지의 마음과 본래 하나라는 결론이 필연적으로 연역됩니다. 그러므로 지극히 작고 사사로운 '나'의 몸에 나아가 '나' 스스로 본성의 필연성을 배워보면, '나'의 몸은 천지의 몸이며 '나'의 마음은 천지의 마음입니다. '나'는 이렇게 성스럽고 영원의 축복 속에 있습니다.